279

CB 1427

55

40
T

7

LES GRANDES
INVASIONS

LES HÉROS DU PASSÉ

Durant les dix siècles précédant l'an 1200 de l'ère chrétienne,
l'Europe fut dévastée par les guerres, les saccages et le pillage.
Son territoire, d'abord occupé par les Romains, fut
successivement envahi par les terrifiants Huns, les Goths, les
Vandales, les Francs, les Arabes, les Vikings et les Normands.
Ces temps, marqués par l'anarchie et les guerres chaotiques et
dévastatrices, virent naître quelques-uns des plus grands
hommes de l'Histoire : Attila, Charlemagne, Mahomet et
Guillaume le Conquérant, pour ne nommer que ceux-là.
Ce livre, avec ses illustrations en couleurs, décrit de façon
vivante, en restant fidèle au fait et au détail historiques, les
batailles, l'armement et la vie quotidienne de ces peuples guerriers.

COLLEGE J. MONOD
C.D.I.
77270 VILLEPARISIS

éditions du pélican

Crédits

Traduction française : A. Setton.

© 1986 Marshall Cavendish
ISBN 2-261-01886-X

Imprimé en Italie

Tableaux :
British Museum 28(b), 29, 39(b), 55(h);
Cooper-Bridgeman Library 15(h); Sonia
Halliday 17, 27(h); Michael Holford,
pages de garde, 7, 8, 20, 25(g), 27(b), 35,
39(h), 48, 57(d); A.F. Kersting 55(b);
collection Mansell 19, 54(h), 56(h),
57(g & bc); Mas 40-41; National
Museum, Copenhagne 34-35;
Photoresources 42(d), 44(g); Radio
Times Hulton Picture Library 50, 56(b),
57(hc); Salmer 13, 26, 37, 42(g), 44(d);
Scala 15(b), 23, 30-31, 32, 33(h), 40,
41(g), 45, 51, 54(b); Ronald Sheridan
10-11, 14, 24, 33(bg), 52; Snark
International 25(d).

Illustrations :
Vivienne Brown 8, 26, 30, 36; Mary
Cartwright/David Lewis Management
41; Barry Glynn 18-19, 22, 52-53; David
Godfrey /David Lewis Management 21,
33, 38-39, 43; John Gowers 6-7; Richard
Hook/Temple Art 8-9; Christine Howes
12-13, 48-49; John Hunt/John Martin
Artists, couverture 28; Kevin Maddison/
David Lewis Management 16-17; Mark
Thomas/Jenni Stone 10-11, 34, 37, 46.

Sommaire

L'époque des invasions

Entre l'an 200 et l'an 1200 de notre ère, le monde occidental fut le théâtre de violents changements. Ce livre retrace le cours des événements qui ont ébranlé différentes régions de l'Europe et du monde méditerranéen, et qui ont touché non seulement les gouvernements mais aussi les populations au cours des différentes invasions et migrations.

Au début de cette période, le plus grand empire que l'humanité ait jamais connu, l'Empire romain, maintenait sous sa domination une partie du monde, dans une certaine stabilité. Cet empire s'étendait du nord de l'Angleterre jusqu'au Sahara, du golfe de Gascogne jusqu'à l'Irak, et comprenait toute la Méditerranée, considérée alors comme une mer romaine. Dans toutes ces régions, le même système gouvernemental régissait les hommes. Une seule langue était utilisée pour communiquer entre ces différents peuples, le latin. Tous étaient soumis à une même législation. Une armée veillait à la garde de tout l'empire, sous l'autorité d'un homme qui siégeait sur le trône de Rome. Cependant, chaque peuple parlait sa propre langue, conservait sa religion, ses traditions, sa propre identité. Guerres et révoltes éclataient çà et là, de temps en temps, sans ébranler la puissance de Rome qui semblait destinée à régner sur cet empire pour l'éternité.

Lorsque le pouvoir de Rome s'effondra au Vᵉ siècle, après une longue période de déclin, toute la structure du système du gouvernement romain se défit du jour au lendemain. Des guerres éclatèrent, menées par des peuplades errantes qui déferlaient sur les champs saccagés et les villes ruinées de l'Europe. Des communautés entières se déplacèrent sur des milliers de kilomètres avec leurs biens et leur bétail. Les Vandales, par exemple, descendirent des bords de la Baltique jusqu'en Espagne et en Afrique du Nord.

Au cours des VIIIᵉ, IXᵉ et Xᵉ siècles, les incursions de pillage devinrent plus importantes et mieux organisées. Dans le nord, les Vikings découvrirent la maîtrise de la mer et étendirent leur action comme explorateurs, commerçants, pirates et, quelquefois, comme colons. Ils introduisirent vigueur et agressivité au sein de vieilles communautés établies en France, tels les Saxons et les Francs, et laissèrent les traces de leur passage de l'Islande à Byzance. Au sud, dans la péninsule d'Arabie, Mahomet, par la voix duquel une nouvelle religion monothéiste était révélée, unissait les tribus arabes autour d'une même cause. Leur foi devait les animer d'une force qui les conduisit à étendre leur pouvoir des bouches de l'Indus aux Pyrénées.

Au cours du XIᵉ siècle, un peuple nouveau occupait en Europe une place prédominante : les farouches et infatigables Normands, qui alliaient au courage audacieux des Vikings l'expérience des Francs. Ils étendirent leur influence de la Normandie vers l'est et le sud. Ils établirent un nouveau royaume dans le sud de l'Italie et en Sicile, dont le pouvoir tant politique qu'économique s'agrandit à une vitesse extraordinaire.

Bouillonnants d'énergie, les Normands tentèrent de freiner l'expansion de l'Islam. Ils réussirent à établir des royaumes en Terre sainte, sur la côte orientale de la Méditerranée, sur le modèle des royaumes normands de l'Europe. Mais ces royaumes ne devaient pas vivre longtemps, et le XIIIᵉ siècle vit se stabiliser les frontières entre l'Orient et l'Occident. De petites guerres eurent encore lieu et, au XVᵉ siècle, les Turcs se battirent en Europe. L'Est et l'Ouest se développèrent sans changement fondamental dans la répartition des peuples. L'ère des grandes invasions était révolue.

À droite : Association du mythe et de la réalité : dans cette mosaïque romaine, le dieu Dionysos se bat contre les pirates de la mer Tyrrhénienne. En réalité, la flotte romaine régnait sur toute la Méditerranée.

Ci-dessous : Quelques armes de l'armée romaine.

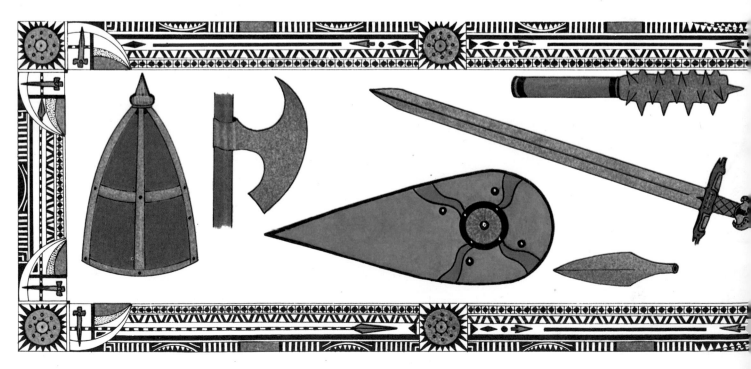

Rome, l'ère de gloire

Durant le premier siècle après Jésus-Christ, l'Empire romain s'étendait sur presque toute la moitié occidentale du monde connu. Il couvrait les territoires des pays que nous connaissons aujourd'hui sous les noms d'Italie, France, Hollande, Belgique, Espagne, Portugal, Suisse, Autriche, Hongrie, Roumanie, Bulgarie, Yougoslavie, Grèce, Turquie, Syrie, Israël, Jordanie, Égypte, Tunisie, Angleterre, Pays de Galles, ainsi qu'une partie de l'Allemagne, de la Russie, de la Perse, de l'Irak, de la Lybie, de l'Algérie et du Maroc. Sa population comptait soixante millions d'âmes environ. Jamais le monde occidental n'avait connu et ne devait connaître un empire d'une telle puissance.

La population, essentiellement paysanne, vivait selon des modes séculaires. Pourtant, Rome encourageait la fondation de cités nouvelles, car les villes permettaient le développement du commerce et des communications et facilitaient la levée des impôts. Dans les provinces de l'empire, où l'on cherchait à suivre le mode de vie des Romains, la fondation de villes nouvelles était favorablement accueillie. On adopta le latin, langue officielle de l'Empire romain, comme langue de communication, et les mêmes systèmes législatif et administratif que Rome. Les populations indigènes portaient les vêtements à la mode romaine, construisaient des maisons d'architecture romaine, organisaient leurs fermes selon les techniques romaines et utilisaient pour le commerce la monnaie romaine. Elles vendaient les produits locaux et achetaient des produits de luxe en provenance du bout du monde,

transportés par des bateaux romains, gardés par une flotte romaine, le long des routes commerciales romaines. Les villes étaient reliées par des routes pavées construites par les soldats romains, sous la direction d'ingénieurs romains. Rome donnait des terres aux vétérans de l'armée et les encourageait à s'établir et à fonder une ville là où il n'y en avait pas. Ainsi, de nouvelles cités romaines apparurent, avec une population romaine fidèle au pouvoir central. Les vétérans de l'armée épousaient des femmes indigènes et élevaient leurs fils dans la perspective de servir l'armée romaine. En quelques générations, la différence entre les Romains de souche et les autochtones disparut presque complètement.

Les frontières de l'empire étaient gardées par une armée qui comptait à cette époque cinq cent mille hommes dont la plupart n'avaient jamais vu Rome. Ils étaient recrutés dans une province et, bien souvent, passaient toute leur carrière dans une autre province. Rome restait toujours le centre de l'empire. De nombreuses cités avaient été construites autour de la capitale. Très peu d'agriculture y était pratiquée et les produits alimentaires nécessaires à la ville et ses environs provenaient de l'Égypte et des côtes fertiles d'Afrique du Nord, véritables greniers de l'empire. Aucune autre région du monde ne pouvait rivaliser avec Rome, avec ses richesses, sa puissance politique, sa prospérité

À droite : Des chefs barbares captifs exhibés lors d'une marche triomphale à travers Rome.

Ci-dessous : Une fresque du premier siècle.

L'ÉTENDUE
DE L'EMPIRE ROMAIN

commerciale et sa hardiesse militaire.
Pour les citoyens, les commerçants et
les hommes d'État de Rome, tout ce
qui pouvait exister hors de l'empire ne
méritait pas que l'on s'en préoccupât.
Les peuplades qui vivaient hors des
frontières lointaines de l'empire étaient
considérées comme des barbares,
appartenant à des tribus sauvages et
ignorantes. Rome achetait l'alliance de
ces hommes ou les prenait de force
comme esclaves. En temps d'accalmie,
ces peuples faisaient commerce avec
Rome pour se procurer les objets de
luxe dont elle disposait. Mais s'ils
venaient à opérer des razzias, ils
étaient écrasés par les légions
romaines.

Les Romains étaient au sommet de
leur gloire et loin d'imaginer que,
quelque part à l'est de l'empire, des
centaines de milliers de barbares
s'apprêtaient à se diriger vers l'ouest,
leur mode de vie ancestral perturbé par
le développement de nouvelles
puissances. Au-delà des vastes steppes
de la Russie centrale et de l'Asie,
s'étendait un empire dont Rome
ignorait jusqu'à l'existence. C'était la
Chine, dont la brillante civilisation,
déjà millénaire, surpassait celle des
Romains. Des guerres sur la frontière
chinoise déclenchèrent la première
poussée des nomades vers l'ouest. Ils
devaient mettre des siècles avant
d'atteindre Rome, mais le mouvement
commencé ne devait pas s'arrêter.

L'armée romaine

Rome disposait d'une armée puissante et efficace qui lui permit de conquérir son empire et de le conserver pendant plusieurs siècles. Cette armée était la seule armée, dans le sens moderne du terme, qui existât à l'époque. Les autres peuples rassemblaient des milliers de guerriers pour mener une campagne spécifique de défense ou d'attaque. Ces hommes, qui appartenaient à des tribus, n'étaient pas de vrais soldats jouissant d'une solde, entraînés au maniement des armes et obéissant à une discipline. Ils partaient en guerre, se nourrissaient sur le terrain, se battaient, prenaient du butin, faisaient des captifs et

décidaient, quand ils le voulaient, de rentrer chez eux. En général, ils formaient de petits contingents qui n'obéissaient à aucun haut commandement. Par contre, le légionnaire romain était un soldat professionnel, ayant une solde et dont la vie était entièrement vouée aux devoirs militaires.

Les légions romaines étaient des unités permanentes de cinq mille cinq cents hommes ressemblant à nos régiments modernes. On en comptait vingt-huit dans la seconde moitié du 1er siècle de notre ère. Chaque légion portait un nom et un numéro, comme, par exemple, *Legio VI victrix*, c'est-à-dire 6e légion victorieuse, ou *Legio IX Hispana*, c'est-à-dire 9e légion espagnole. L'emblème des légions était l'aigle romaine, pour lequel le légionnaire avait le même respect et la même dévotion que notre soldat moderne pour le drapeau national.

Les légions étaient basées sur les frontières de l'Empire romain, dans de grands campements bâtis en pierre, formant de petites villes. Les campements comprenaient les baraquements, les arsenaux et les camps d'entraînement, mais également des magasins, des ateliers, des tavernes, des bains et d'autres lieux de loisirs. Aussi, bien que la discipline fût très sévère et la solde relativement faible, la vie du soldat n'était pas trop inconfortable. Des primes importantes étaient accordées au soldat pour fait de bravoure, à l'occasion d'une victoire ou lorsqu'un nouvel empereur montait sur le trône. Un bon soldat pouvait toujours espérer une promotion. Des

À gauche : Un légionnaire romain en marche, portant son armure en lames de fer et transportant ses armes, ses outils et son matériel de campement. Son armure, montée sur des courroies, pouvait être pliée, transportée dans un petit sac et ne pesait pas lourd.

postes privilégiés étaient réservés au soldat en fin de carrière.

Le légionnaire était soumis à un entraînement sévère et minutieux. Ses armes, dont il devait connaître parfaitement le maniement, étaient d'excellente qualité, toutes fabriquées selon les mêmes modèles. Il apprenait à creuser des tranchées, à construire des ponts, à rechercher de la nourriture, à nager et monter à cheval. Il devait devenir un bon soldat, adroit, capable, discipliné, susceptible de répondre au commandement pour intervenir dans une bataille au moment voulu, avec efficacité. Les bases de campement étaient reliées entre elles par des routes pavées. En période de trouble, un général réunissait rapidement ses troupes dans la région menacée. Il pouvait prévoir avec exactitude à quel moment telle unité se trouverait à tel endroit, les légionnaires étant entraînés à faire

armes et les tactiques traditionnelles de leur peuple, dans le cadre de la discipline romaine. Les auxiliaires avaient à affronter le premier choc d'une agression frontalière; en campagne, ils formaient les ailes de protection de l'armée romaine. Ils servaient très souvent loin de leur pays, comme en témoignent les tombes d'archers du Moyen-Orient retrouvées au pied du mur d'Hadrien, dans le nord de l'Angleterre.

Après vingt-cinq années de service, l'auxiliaire recevait la citoyenneté romaine pour lui-même et sa famille. Cela signifiait de meilleures conditions de vie, la possibilité de carrières plus intéressantes pour ses fils, et l'octroi de divers privilèges en reconnaissance de ses services. Tant pour le légionnaire que pour l'auxiliaire, la carrière militaire offrait de nombreux avantages. Quant à l'armée, véritable armée de métier, elle s'assurait ainsi de bons soldats pour de nombreuses générations.

rente kilomètres par jour, chargés de leur barda. Ils transportaient avec eux leurs outils, leurs armes et un ravitaillement pour une durée de quinze jours. Mise à part la valeur combative particulière d'une légion, le général pouvait compter sur tous ses légionnaires lors d'un combat, tous ayant reçu le même entraînement et utilisant les mêmes armes. L'organisation de l'armée romaine permettait à Rome de remporter la victoire, même sur les plus braves.

Les camps de légionnaires étaient basés à quelque distance des frontières. Les frontières elles-mêmes étaient gardées par des cohortes, petites unités de cinq cents hommes, basées dans de petits forts construits en rondins de bois. Ces garnisons étaient sélectionnées parmi les troupes auxiliaires. Tandis que les légionnaires étaient recrutés parmi les citoyens romains, les auxiliaires étaient des

Ci-dessus : Bas-relief de la colonne de Trajan, montrant l'armée formant le *testudo*, avec les légionnaires et les auxiliaires à l'œuvre.

À droite : Un auxiliaire de l'armée romaine en cotte de mailles, portant son javelot.

membres de tribus pacifiées dont les pères avaient probablement combattu contre les légions romaines. Il y avait des archers syriens, des cavaliers espagnols ou d'Afrique du Nord, ainsi qu'une infanterie recrutée dans toutes les provinces de l'empire. Ces auxiliaires étaient mal équipés. Ils portaient de vieilles armures et utilisaient les vieilles armes qui avaient été remplacées dans les légions par des armes modernes. Ils étaient encouragés à conserver également les

La machine de guerre en action

Une légion romaine, soutenue par des unités auxiliaires de fantassins et de cavaliers, et par sa propre unité de catapultes, attaque et détruit un village celte fortifié, au sommet d'une colline, entre les années 43 et 47 de notre ère. La légion *Legio II Augusta*, commandée par le futur empereur Vespasien, s'avance à travers les comtés du sud de l'Angleterre, soumettant les tribus qu'elle rencontre et capturant au moins une vingtaine de villages, tel ce village fortifié. Malgré leur courage et leur hardiesse, les populations ne peuvent résister à la puissante machine de guerre de l'armée romaine. Les villages sont assiégés selon une tactique particulière.

1. Une cohorte de cavaliers auxiliaires gàlope autour de la colline pour couper la voie à toute évasion, pour prendre les troupes d'hommes qui se trouvent hors des remparts et mettre le feu aux champs de maïs.

2. Pendant que la plupart des villageois sont occupés à défendre l'entrée principale, une cohorte d'auxiliaires s'introduit dans le village par l'arrière, réduit la défense locale et met le feu aux huttes et aux enclos des animaux domestiques.

3. Une unité de la légion pénètre par l'entrée principale. Une trentaine d'hommes, groupés en formation d'attaque et faisant une voûte au-dessus de leur tête et sur leurs flancs avec les boucliers pour se protéger des pierres et des flèches, forment un *testudo*.

4. Au moment où la palissade de bois formant généralement le mur d'enceinte est abattue par les pierres lancées par les catapultes, les légionnaires défont le *testudo*, lancent leurs javelots sur les villageois alignés sur les remblais et les chargent à l'épée, à l'abri de leurs boucliers, dans le but de les faire reculer. Chaque soldat est couvert par les hommes qui l'encadrent, et ceux qui tombent sont

immédiatement remplacés par ceux qui sont derrière eux. Le soldat romain frappe son ennemi à la face de l'ombon ou du bord de son bouclier, puis il le poignarde lorsqu'il tombe, le maintenant à terre à l'aide du bord du bouclier.

5. Les catapultes légères, ou scorpions, entrent alors en action. Chaque légion compte une quarantaine de machines qui sont transportées jusqu'au champ de bataille à dos de mulets. Elles sont toutes du même type et ressemblent à des arbalètes géantes dont la force propulsive est fournie par la torsion de cordages de cuir. Certaines lancent de courtes et lourdes flèches, d'autres des pierres de tailles variables, les unes de la taille d'une orange, les autres pesant vingt kilos et même plus. Un certain nombre de catapultes légères sont rassemblées sur la petite colline en dehors de l'entrée où a été opérée une brèche au début du combat. Elles sont disposées pour ouvrir la voie aux escadrons d'assaut.

6. Le commandant observe l'attaque du haut d'une colline, entouré de ses officiers, de ses trompettes prêtes à adresser les signaux sonores, de ses messagers à cheval, de sa garde et des étendards de toutes ses unités.
Seul l'étendard de la légion porte l'aigle impériale. Les cohortes ont comme emblèmes le portrait de l'empereur, la représentation d'animaux mythiques, de mains ouvertes, ou d'autres emblèmes traditionnels. Chaque légion compte parmi ses troupes cent vingt cavaliers qui tiennent leur général informé de tous les développements du combat. Lorsque les escadrons d'assaut sont entrés dans le village, les cohortes de la légion sont lancées à travers l'entrée, obéissant aux ordres du commandement. La première cohorte, la plus importante de la légion est placée à droite, sur la ligne de front. Elle compte huit cents hommes divisés en cinq groupes, appelés « centuries ». Les neuf autres cohortes comptent chacune cinq cents hommes divisés en six centuries.

Ci-dessous : Navires de guerre romains, datant du début du deuxième siècle, bas-relief de la colonne de Trajan.

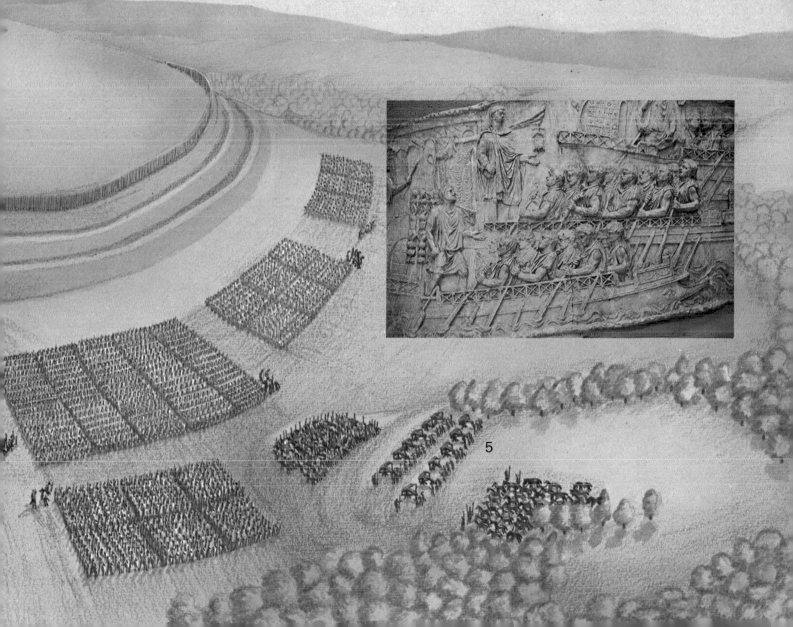

5

Le déclin de Rome

Au début du IIe siècle de notre ère, Rome semblait une puissance invincible. Trajan, le grand empereur-soldat, venait d'étendre les frontières de l'empire dans les Balkans. Il avait conquis de nouveaux territoires; de nouveaux captifs enrichissaient les marchés d'esclaves et procuraient une main-d'œuvre bon marché aux fermes romaines, aux mines et à l'artisanat. Cependant, Rome était à la veille de son déclin. Il commença un siècle plus tard et, au début du Ve siècle, l'Empire romain d'Occident se désintégra sans espoir de redressement. Les causes de ce déclin sont multiples et complexes. Nous allons, néanmoins, en donner quelques-unes.

Tandis que Rome manquait de plus en plus d'hommes, les Barbares devenaient de plus en plus nombreux et de plus en plus forts. L'empire cessa de s'étendre, ce qui signifiait qu'il ne pouvait plus se procurer d'esclaves alors que toute son économie reposait sur le travail de millions d'esclaves. Le quart de la population de l'empire était jusque-là composée d'esclaves. Lorsque le nombre d'esclaves diminua, on eut recours à la main d'œuvre paysanne. Mais cela d'une part coûtait cher, d'autre part, privait la légion d'un grand nombre de recrues.

Les longues frontières de l'empire — vingt-cinq mille kilomètres pour l'Europe seulement — exigeaient une défense puissante contre les attaques répétées et de plus grande envergure des Barbares et de leurs alliés contre Rome. Les défaites se multipliaient et coûtaient cher. Il fallait de l'argent pour engager de nouvelles recrues en remplacement des hommes morts, pour payer les rançons des prisonniers importants, pour soudoyer certains chefs barbares qui s'engageaient à ne pas lutter contre Rome, pour entamer de nouvelles campagnes de reconquête des territoires perdus et établir des lignes de défense. La monnaie commença à perdre de sa valeur; il y avait de plus en plus de pièces de monnaie, mais elles contenaient de moins en moins d'or et d'argent. Elles perdaient de leur pouvoir d'achat et les prix augmentaient rapidement.

La succession sur le trône impérial constituait un problème grave, car elle n'était prévue par aucune législation. Aussi, sauf en de rares exceptions, chaque fois qu'un empereur mourait, sa succession entraînait de véritables guerres civiles entre prétendants rivaux. L'or du Trésor et les soldats de l'armée étaient utilisés dans la lutte sur le territoire romain, plutôt qu'à la défense des frontières.

Les forces armées sur les frontières n'étaient jamais remplacées de façon satisfaisante. On eut recours aux mercenaires barbares pour défendre les zones frontalières de l'empire. On leur accordait certains privilèges, comme le droit de garder leurs propres chefs ainsi que l'octroi de terres à l'intérieur de l'empire. En retour, ils devaient repousser hors des frontières les autres Barbares. A la longue, les Barbares constituèrent la majorité du contingent et la discipline de fer ainsi que l'organisation rigoureuse qui faisaient la force de ce qui était l'armée de métier romaine disparurent.

Les meilleurs régiments des provinces frontalières furent rappelés par Rome pour former des unités mobiles qui se déplaçaient à travers tout l'empire pour répondre aux besoins de la défense. Les attaques plus nombreuses et souvent victorieuses des envahisseurs barbares rendaient ces unités indispensables. Il fallait, pour rendre ces unités plus efficaces,

En haut : Constantin II, 317-340, fils de Constantin le Grand.

En bas, à gauche : Scène de bataille entre les auxiliaires romains et les Barbares, Colonne de Trajan.

Ci-dessous : Fresque de la Rome chrétienne primitive représentant trois israélites sur le bûcher.

développer la cavalerie. Les Romains n'étaient pas de bons cavaliers; leur force, depuis des siècles, résidait dans l'infanterie. La tactique traditionnelle de la Légion était dépassée. Les blocs que constituaient les unités d'infanterie ne pouvaient plus affronter les rapides cavaliers barbares qui les cernaient et les dépassaient, disposant désormais de flèches et de javelots. Mais Rome ne fut jamais capable de mettre sur pied une armée alliant une forte infanterie à une forte cavalerie mobile.

Le besoin constant d'argent conduisit Rome à imposer des taxes si élevées que le peuple chercha à y échapper par tous les moyens. La situation s'aggravait, les problèmes semblaient insolubles. Lorsque, au début du IVe siècle, sous l'empereur Constantin, le christianisme fut proclamé religion officielle de l'état, il fut décidé de fonder une nouvelle capitale chrétienne dans la partie orientale de l'empire. Elle fut construite à l'emplacement de Byzance et baptisée Constantinople. Constantinople devint très vite plus importante que Rome et l'empire fut divisé en deux, l'Empire d'Occident et celui d'Orient, avec un empereur à

Rome et un autre à Constantinople. Les deux empires devaient coopérer mais, en fait, la division de l'empire mena à de plus grandes rivalités et à plus de complots. Les intrigues se multipliaient alors que la menace barbare grandissait. La propagation du christianisme lui-même provoqua la confusion. La nouvelle foi, différemment interprétée, avait été adoptée par de nombreuses peuplades barbares. Ceci jeta le trouble parmi les Romains à qui l'on demandait de se battre contre ces nouveaux chrétiens. Par ailleurs, les prêtres qui étaient exonérés d'impôts, devenaient plus nombreux. De plus, leurs querelles sur les questions religieuses ébranlèrent l'autorité de l'État.

Pendant ce temps, les Barbares sur les frontières du Rhin et du Danube augmentaient en nombre, devenaient plus pressants et plus résolus. Les alliances entre tribus s'élargissaient et s'affirmaient dans la préparation de l'action à entreprendre. Il ne s'agissait plus de simples menaces ou de petites incursions. Il se préparait, à l'insu des Romains, le déferlement d'une immense vague de migrations que rien ne devait pouvoir arrêter.

Peuples en mouvement

C'est au cours des cinq derniers siècles que se regroupèrent, se développèrent et se formèrent les peuples à l'est du Rhin et au nord du Danube. L'Histoire n'a pas pu déterminer l'origine de ces peuplades tribales, ni pourquoi elles commencèrent à errer. Nous savons seulement qu'au début du Ve siècle, des milliers d'hommes, de femmes, d'enfants et de vieillards, accompagnés de leurs troupeaux de petit et gros bétail, ainsi que de tous leurs biens, pénétraient en masse dans ce qui est l'Allemagne d'aujourd'hui, l'Est, l'Europe centrale et les Balkans.

Les Huns étaient des nomades qui semblent être originaires de l'Asie centrale. La Chine, qui menait contre eux une lutte incessante, les appelait *Hsiung-nu*. Au IVe siècle, les Chinois parvinrent à les repousser vers l'ouest, et ainsi vers la Russie, la Hongrie et l'Allemagne. La mauvaise réputation de ces nomades était due au fait qu'ils se montraient d'impitoyables guerriers. Dans leur mouvement de retrait, ils déplacèrent d'autres tribus vers l'ouest et le sud, qui, elles-mêmes, prirent des terres à d'autres peuples. Aux environs de l'an 370, les Huns chassèrent les Alains de la vallée du Don, en Russie. Les Alains et les Huns, dans leur déplacement vers le sud, chassèrent de leurs terres les Ostrogoths et les Wisigoths. Ces derniers demandèrent refuge dans les provinces romaines du Danube. Tout d'abord Rome refusa puis, réalisant quels alliés pouvaient être les Goths, changea d'avis et accepta de les accueillir à certaines conditions. Mais les Romains perdirent très vite tout contrôle lorsque le flot des réfugiés déferla dans la région. Les Romains tentèrent d'arrêter le mouvement et essuyèrent une défaite sanglante à Andrinople, en l'an 378. L'empereur d'Orient fut tué au cours de la bataille. En 382, le nouvel empereur d'Orient, Théodose, reconnaissait aux Goths, par un traité, les terres sur lesquelles ils s'étaient installés. Pendant ce temps, les Huns poursuivaient leur marche vers l'ouest et le long du Rhin, tandis qu'en Europe centrale, les Francs, les Lombards, les Bourguignons, les Saxons, les Vandales, ainsi que de nombreuses autres peuplades nomades se regroupaient, le regard tourné vers les terres dépeuplées et faiblement défendues des provinces occidentales de l'empire. Rome n'avait plus affaire à

LA PRESSION DES BARBARES SUR LES FRONTIÈRES DE L'EMPIRE ROMAIN D'OCCIDENT

Pictes et Calédoniens

Irlandais

Jute

Frisons

Saxc

Francs

Bourguignons

Alaman

Tribus sédentaires

Garnisons romaines

Frontière romaine

Tribus nomades

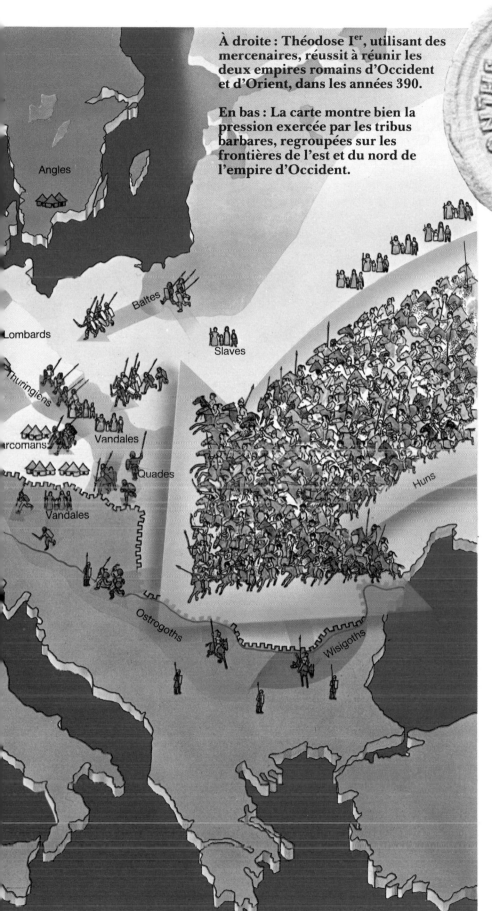

À droite : Théodose Ier, utilisant des mercenaires, réussit à réunir les deux empires romains d'Occident et d'Orient, dans les années 390.

En bas : La carte montre bien la pression exercée par les tribus barbares, regroupées sur les frontières de l'est et du nord de l'empire d'Occident.

Angles

Baltes

Lombards

Slaves

Thuringiens

Marcomans

Vandales

Quades

Vandales

Huns

Ostrogoths

Wisigoths

des tribus isolées dont elle avait pu vaincre les assauts au cours des siècles passés. La situation avait changé : des alliances avaient été conclues, unissant un grand nombre de tribus. Rome ne mesurait pas le danger que constituaient certains groupes, comme les *Francs* — c'est-à-dire « hommes libres » — ou les *Alamans* — qui veut dire « tous les hommes ».

Ces peuplades, d'origine germanique, ne souhaitaient pas la destruction de l'Empire romain. Elles voulaient seulement en partager les avantages. Elles avaient un besoin vital de terres, alors que la population romaine diminuait et que les dévastations provoquées par les guerres laissaient des territoires inoccupés. Leurs conditions de vie difficiles les rendaient impatients. Quelques hommes de ces tribus avaient combattu dans les rangs des auxiliaires romains pour défendre les frontières de nouvelles agressions, même contre leurs propres tribus. D'autres avaient prêté main forte contre les Romains lors des guerres civiles. Ces peuples germaniques tentèrent enfin de négocier la permission de s'établir dans certaines provinces de l'Empire. Puis, ils exigèrent cette permission et, finalement, ils se l'octroyèrent. À cette époque, l'Empire romain d'Occident n'était plus qu'une structure creuse au pouvoir inexistant. L'assaut final des peuples germaniques coïncida avec une série de troubles internes dont les conséquences avaient été particulièrement graves. Lorsque l'attaque germanique eut lieu, l'Empire romain d'Occident fut simplement balayé.

La chute de l'empire d'Occident

En l'an 394, après une succession de guerres civiles, Théodose réussit à devenir le maître des empires d'Orient et d'Occident. Le prix de la victoire fut très élevé. Des Barbares, notamment les Huns, avaient été enrôlés comme mercenaires par les deux camps adverses. Après la victoire de Théodose, ceux-ci refusèrent de rentrer chez eux. Alaric, l'un des grands chefs wisigoths, fit camper son armée dans les Balkans, pratiquant le pillage selon son bon plaisir. En 395, à la mort de Théodose, ses deux fils, Arcadius et Honorius, alors très jeunes, furent placés le premier sous la tutelle du préfet du prétoire Rufin, le second sous la tutelle du maître de la milice, Stilicon, brillant soldat d'origine vandale. Ils héritèrent l'un de l'empire d'Orient, l'autre de l'empire d'Occident dont la stabilité était continuellement menacée.

Stilicon exerça le pouvoir en Occident, malgré la haine que lui portait Honorius. Il combattit des années durant contre les Goths, les Vandales, les Alains. Cependant, en 397, il ne réussit pas à battre Alaric, le chef des Goths, en Grèce. En faisant assassiner Rufin, il se fit un ennemi d'Arcadius, l'empereur d'Orient qui, furieux, soutint Alaric, donnant ainsi une certaine respectabilité aux hordes des Goths au sein de son propre empire. Stilicon et Alaric continuèrent à guerroyer et à comploter pour obtenir de nouveaux avantages. Alaric se préparait à rejoindre Stilicon pour envahir les Balkans et les réunir à l'empire d'Occident lorsqu'un désastre eut lieu, durant l'hiver 406-407. Alors

que Stilicon avait considérablement réduit les défenses de la Bretagne et de la Germanie pour mener d'autres guerres en Grèce et en Italie, survint l'hiver le plus rude que l'on eût connu depuis de nombreuses années. Les eaux du Rhin gelèrent et une confédération de Vandales, de Suèves et d'Alains traversa alors le Rhin, balaya les dernières garnisons romaines sur la rive occidentale du fleuve et envahit la Gaule en tuant et saccageant tout sur son passage.

Dans la confusion, un général usurpateur, Constantin, fit venir des troupes de Bretagne et, à leur tête, tenta de reconquérir une partie de la Gaule et de l'Espagne. Alaric marcha de nouveau sur l'Italie. Il ne consentit à arrêter son avance qu'à un prix très élevé. Honorius fit assassiner Stilicon

tenta de résister lui-même à Alaric. échoua piteusement. Rome était ssiégée par les Wisigoths et lorsque les égociations avec l'empereur furent mpues pendant l'été 410, Alaric prit ville et la mit à feu et à sang. Le ouvernement se réfugia à Ravenne.
a chute de Rome avait provoqué un noc retentissant dont l'empire Occident ne devait jamais se emettre. Lorsqu'en 418, un semblant e paix fut établi, la carte de l'Europe ait complètement modifiée.

La Bretagne fut à jamais perdue ur l'Empire romain. Honorius fut en obligé d'admettre qu'il ne pouvait défendre des attaques des avigateurs barbares qui venaient du rd de l'Europe et de l'Irlande, ni de lles des Pictes et des Calédoniens qui naient d'Écosse. L'Espagne était le namp de bataille de la lutte pour le uvoir des Goths, des Vandales, des ièves, des Alains et des troupes

romaines qui avaient survécu. Le nord de la Gaule était en proie à l'anarchie. La Gaule dú centre et du sud avait été accordée comme royaume aux Wisigoths par le gouvernement de Ravenne, dont ils restaient les alliés. Ce royaume gothique était le seul pouvoir puissant de l'Europe. C'est grâce à lui — mais seulement lorsque cela lui convenait — que la cour de Ravenne put conserver une apparence de pouvoir. L'Empire romain d'Occident n'était plus qu'un souvenir.

À droite : L'empereur Honorius qui régna pendant la période de la chute de l'Empire romain d'Occident, 395-423.

En bas : Les Barbares traversent le Rhin pris par les glaces.

Le morcellement de l'empire

Entre les années 420 et la fin des années 440 se succédèrent guerres et révoltes, entrecoupées de brefs traités de paix. L'empire d'Occident s'en trouvait miné et gravement affaibli. En vagues successives, les Barbares, à la recherche de terres, envahissaient le pays et faisaient la guerre aux peuples qui s'y étaient installés avant eux. Des Francs, des Bourguignons, des Wisigoths et des mercenaires huns, des rebelles locaux ainsi que des généraux romains qui se réclamaient de la cour de Ravenne, manœuvraient, complotaient, faisaient la guerre, ébranlant ce pouvoir dont ils cherchaient à s'emparer.

Aetius était l'homme le plus important en Gaule, à cette époque. Ancien soldat romain sorti du rang, il réussit à gagner du prestige grâce à son énergie à toute épreuve et à sa capacité de lever une armée de Huns chaque fois qu'il en avait besoin. Jeune homme, il avait été pris en otage par les Huns avec lesquels il avait conservé de bons rapports. Aetius prétendait représenter l'empereur en Gaule, mais en réalité il agissait indépendamment de la cour de Ravenne, pour son propre compte. Il se battait quand il le pouvait, signait des traités quand il le fallait et encourageait des groupes de ses alliés barbares à s'installer sur les terres abandonnées par leurs populations. Il dut souvent s'opposer à ses alliés indomptables, chaque fois que ceux-ci tentaient de franchir les limites des territoires qu'il leur avait accordés. Pendant des années, il fut le seul homme en Gaule capable de décider des événements.

Bien que les guerres eussent provoqué beaucoup de dommages et conduit à la mort de milliers d'individus, la civilisation en Gaule n'avait pas disparu. Un grand nombre de Barbares qui avaient, d'une certaine manière, rallié le christianisme, n'avaient pas oublié qu'ils avaient servi Rome soit comme alliés, soit comme soldats. Ils régnaient sur leurs territoires par la force, copiant le modèle de gouvernement des Romains.

Bien souvent, ils coopéraient volontiers avec les survivants de l'ancien régime de l'empire, tels que propriétaires terriens et fonctionnaires. Dans les provinces sous le contrôle des Goths, les anciens propriétaires n'étaient ni tués, ni chassés de leurs terres. On leur laissait généralement le tiers de leurs terres et, parfois, les Goths les dédommageaient en leur payant la contre-valeur en or des terres qu'ils s'étaient appropriées. La cour gothique de Toulouse surprit les visiteurs romains par son luxe et son raffinement.

Les propriétaires terriens et les fonctionnaires romains qui avaient pu conserver leurs biens ou leurs fonctions n'avaient pourtant plus de pouvoir. Ces survivants de l'Empire romain s'isolèrent dans leurs domaines, bâtissant des murailles et des tours autour de leur demeure, et vécurent en ignorant les conflits politiques extérieurs à leur région. Alors qu'à l'époque florissante de l'Empire romain un grand nombre de familles

patriciennes s'intéressait et pouvait participer aux affaires de la cité, elles virent désormais leur monde se rétrécir et, avec le temps, l'unité de l'empire ne fut plus qu'un vieux rêve.

Chaque région évolua selon son propre système de gouvernement, ses propres coutumes et ses lois et, bien souvent, sa propre langue. Ce morcellement de l'empire eut des conséquences aussi graves et profondes que les défaites militaires. L'exemple le plus frappant est celui des côtes africaines de la Méditerranée. La région côtière d'Afrique du Nord avait été pendant des siècles le grenier de l'Empire. Dans les années 430, les

En haut : La plupart des villes romaines furent abandonnées, mais les envahisseurs germaniques vécurent dans certaines d'entre elles.

À gauche : Mosaïque carthaginoise du VIe siècle, représentant un seigneur vandale.

Vandales, sous le commandement de leur roi Genséric, traversèrent le détroit de Gibraltar et, abandonnant l'Espagne où depuis vingt ans ils luttaient pour se maintenir au pouvoir, conquirent les provinces romaines des côtes méditerranéennes de l'Afrique du Nord. Ils s'aventurèrent sur la mer,

prirent les vieux chantiers navals carthaginois, apprirent à construire des bateaux et devinrent d'habiles navigateurs et de redoutables pirates. Leur flotte, bien que peu importante, faisait des ravages, attaquant les vaisseaux en mer et pillant les villes côtières de toute la Méditerranée. Les Vandales avaient ainsi détruit les routes commerciales maritimes qui avaient été l'une des forces de l'Empire romain et l'un des facteurs de son unité. Ces routes, désormais coupées, allaient le rester près d'un siècle, permettant à l'Afrique et au Moyen-Orient de se développer en suivant leur propre voie.

21

Le fléau de Dieu

C'est au cours des années 440 que les Huns, qui ne constituaient jusque-là qu'une menace occasionnelle et sporadique, devinrent une très grande force; ce durant une courte période, il est vrai, mais pendant laquelle ils semèrent l'épouvante. Le monde romain n'avait encore affronté ces « enfants du diable » des steppes asiatiques que par bandes peu nombreuses. Les Huns ne formaient pas une nation obéissant à un même chef, mais une fédération de petites tribus et de clans aux liens lâches. Beaucoup d'entre eux se battaient pour les Romains contre une certaine somme d'or. Stilicon et Aetius avaient tous deux une garde de Huns et des mercenaires huns avaient été engagés par Théodose pendant ses guerres des années 380 et 390. Ils ne constituaient pas un danger réel lorsqu'ils menaient leurs campagnes de pillage, car on pouvait encore les vaincre ou les acheter, à cause du manque de solidarité dans leurs rangs.

Les chroniqueurs romains exagéraient sans doute lorsqu'ils décrivaient les Huns comme des monstres inhumains, mangeurs de viande crue et buveurs de sang, si laids et, surtout, si cruels que les mots manquaient pour pouvoir les décrire. Il semble, d'après les vestiges retrouvés dans quelques tombes — des chaudrons en métal, quelques mots et des noms laissés dans leur langue — qu'ils soient venus des régions frontalières du nord de la Chine, jusque dans les monts Altaï, en Russie, atteignant la Hongrie et le nord des Balkans. Ils firent de nombreuses incursions en Mésopotamie et en Syrie à la fin du IVe siècle et au début du Ve siècle. Ils n'étaient pas mongols, comme on a pu le croire, mais avaient les traits caractéristiques des asiatiques : yeux bridés, nez court et épaté, face imberbe. Décrits comme étant petits, les jambes arquées et passant la plupart de leur temps sur leurs chevaux, ils se déplaçaient rapidement, en bandes peu organisées, transportant leurs rations de vivres et leurs modestes biens sur le dos de quelques chevaux, se battant avec des flèches et des javelots, tuant et détruisant tout sur leur passage, sans merci. Certains historiens les rattachent ethniquement aux Turcs.

En 445, l'un de leurs chefs nommé Attila, âgé d'environ trente-cinq ans,

En haut : Une interprétation
romanesque de la rencontre du
pape Léon Ier et d'Attila qui inspira
un artiste, quelques siècles plus
tard.

À gauche : Les guerriers d'Attila
attaquent une cité romaine durant
leur brève mais sanglante invasion
de l'Italie.

était cogouverneur, avec son frère
Bléda, des clans huns, dans le nord des
Balkans. On pense que cette année-là
Attila tua Bléda et se fit acclamer roi
par l'ensemble de ses tribus. Il devait
bénéficier d'un grand charisme et de
beaucoup de prestige pour être
parvenu à rassembler autour de lui
tous les clans huns. En 447, il conduisit
l'armée unifiée des Huns vers le sud et
ravagea, à l'est de l'empire, la province
de Thrace, au sud du Danube. Les
Huns défirent les troupes impériales
qui avaient été dépêchées contre eux et
continuèrent leur avance vers
Constantinople.

Les autorités impériales, fortement
ébranlées par la menace, conclurent un
humiliant traité avec Attila, lui
consentant une énorme somme en or et
acceptant d'évacuer leurs troupes sur
un large territoire, le long de la
frontière du Danube. Après avoir
remporté une victoire facile sur
l'empire d'Orient, Attila se tourna vers
l'empire d'Occident, espérant, en
semant la peur, obtenir le paiement de
nouveaux tributs. Il pensait qu'Aetius,
qui avait une longue expérience des
Huns, se montrerait raisonnable. Mais
Aetius, dont les positions s'étaient
renforcées depuis quelques années, ne
se laissa pas impressionner par les
menaces d'Attila.

En 451, Attila conduisit ses hordes
en Gaule. Partout derrière eux, ils
laissèrent ruines et cadavres.
Cependant, pour la première fois, la
crainte de leur arrivée n'empêcha pas
le combat. Aetius avait rassemblé une
grande armée, composée de Wisigoths,
de Gallo-Romains et d'alliés barbares.
Quelque part près de Troyes, Aetius
rencontra Attila et le vainquit. Le roi
hun, le « fléau de Dieu », comme
l'appelaient les prêtres terrifiés, fut
obligé de battre en retraite jusqu'en
Hongrie pour rebâtir son armée et
rehausser son prestige.

En 452, Attila reprit son offensive,
cette fois contre l'Italie. Son avance fut
tout d'abord victorieuse. Mais une
armée de cavaliers nomades n'était pas
faite pour mener un long combat
contre un ennemi organisé, déterminé
à résister. Les Huns manquaient de
vivres lorsqu'ils passaient une longue
période dans une région. La maladie se
répandit dans leurs rangs et les
éclaircit. Ils étaient affaiblis quand
parvint la nouvelle de la signature d'un
accord entre Aetius et Constantinople.
L'empereur d'Orient s'engageait à
lever une forte armée qui devait
prendre à revers les Huns. Les chefs
sous le commandement d'Attila se
révoltèrent et celui-ci fut obligé de
signer une trêve, et de reconduire le
reste de son armée en Hongrie. Là, en
453, il épousa une toute jeune fille et
mourut subitement la nuit même de ses
noces. Ainsi, le « fléau de Dieu » ne
mourut même pas au combat.

À sa mort, ses enfants se disputèrent
le pouvoir et l'unité entre les différents
clans huns ne put être maintenue bien
longtemps. En 454, leurs sujets goths
se révoltèrent et détruisirent une armée
hun sur la rivière Nedao. Le pouvoir
des Huns était brisé à jamais. Ils se
réfugièrent dans une région au nord-est
de la mer Noire et là, ils cessèrent de
faire parler d'eux. Cependant, leur
souvenir demeura dans l'Histoire
comme le symbole d'un redoutable
peuple guerrier.

La mort lente de la Bretagne romaine

Les assauts contre la Bretagne (Grande-Bretagne) se multiplièrent, conduits par des pirates germaniques venant d'Europe, les Pictes venant d'Écosse et les Scots venant d'Irlande. A partir de 350, ces incursions guerrières étaient devenues la préoccupation essentielle des autorités britannico-romaines qui renforcèrent leur défense à l'est. Certaines expéditions venant d'Europe, comme, par exemple, celle conduite par Stilicon contre les Pictes en l'an 400, apportèrent de nouveaux soldats aux troupes romaines de l'île. Mais la plupart du temps, bon nombre de ces troupes était envoyé en Gaule ou en Italie, sous la conduite de nouveaux chefs tels que Maxime dans les années 380 et Constantin en 407. Une suite d'agressions de la part des Saxons, des Angles et des Jutes, venus des côtes de la Germanie et des Pays-Bas en 410, amena les autorités locales à appeler Rome à l'aide, demandant un renfort de troupes. L'empereur Honorius répondit que les villes de Grande-Bretagne devaient se défendre elles-mêmes.

Les Britanniques se défendirent eux-mêmes et de façon très efficace. Ils levèrent leur propre armée, engagèrent des mercenaires du continent et pendant près d'une génération, connurent une période de paix et de prospérité. Puis, probablement en 449, l'un des chefs britannico-romain, Vortigern, fit venir un grand nombre de bateaux chargés de mercenaires jutes pour combattre les Pictes, et les installa dans le Kent. Les Jutes, dirigés par deux frères, Hengest et Horsa, battirent les Pictes puis se retournèrent contre Vortigern. D'autres immigrants saxons furent introduits dans le pays et ces nouveaux « Anglais », à partir des têtes de pont qu'ils avaient établies dans le Kent et à l'est de l'Angleterre, lancèrent des attaques répétées contre les vieux « Britanniques » pour les pousser hors du pays.

La victoire ne fut pas rapide. Le nombre des immigrants saxons n'augmenta que très lentement et les habitants, qui avaient encore en mémoire les méthodes de combat des Romains, résistèrent d'une façon déterminée. On ne sait pratiquement rien de ces guerres, sauf qu'elles furent très longues. De multiples légendes les illustrent, dont les personnages sont de courageux et audacieux géants, tels

Ambroise qui était sans doute un grand chef et Arthur, le plus légendaire et le plus mystérieux de tous, dont nous ne savons rien, sauf qu'il était un grand guerrier britannique. Il dirigea probablement une forte cavalerie, très mobile, qui mena avec succès de très nombreuses actions contre les Saxons sur toute la côte, du nord au sud. On sait également qu'après une victoire décisive en l'an 500, la pression des Saxons diminua, puis cessa. Arthur semble avoir donné à l'Angleterre cinquante années de répit, en stoppant la progression des Saxons. Mais cette période de paix ne fut pas bien exploitée par ses compatriotes.

Il semble qu'après la victoire d'Arthur, le pays ait été divisé en deux : l'ouest britannique et l'est anglais. On sait qu'un certain nombre de Saxons revinrent s'installer dans le pays. Il semble par ailleurs que la menace des Saxons ayant été écartée, les Britanniques relâchèrent leur vigilance et rompirent leur unité. Les

En haut : Fresque chrétienne du IVe siècle.

À droite : Une croix écossaise de la fin du VIIe siècle.

villes tombèrent en décadence et les hommes, sans pouvoir central, se réfugièrent dans les campagnes pour pouvoir se nourrir. Des dissensions entre clans, attisées par des ambitions personnelles, démolirent la défense organisée. Pendant ce temps, les Saxons à l'est rebâtissaient lentement leur force armée. Vers 550, ils avancèrent vers l'ouest, tout le long du pays, du nord au sud. En tout juste vingt ans, ils forcèrent les survivants britanniques à se réfugier dans les collines du pays de Galles ou dans les marais de Cornouailles. Autour de 580,

sept royaumes saxons naquirent dans ce que nous pouvons appeler l'Angleterre. Les premiers immigrants formèrent les royaumes de Kent, d'Essex, de l'Est de l'Angleterre et du Sussex. Trois autres royaumes, plus grands et plus importants furent fondés par les Saxons plus récemment installés : le royaume de Wessex dans le sud, celui de Mercie dans les Midlands et celui de Northumbrie au nord.

À droite : Enluminure datant du VIIe siècle, de style celte. Les monastères britanniques surent sauvegarder la foi chrétienne et la pratique de l'enseignement au moment des invasions des Saxons, durant le Moyen Âge.

Les royaumes goths

Entre le milieu du Ve siècle et le milieu du VIIIe siècle, de nombreuses guerres épisodiques eurent lieu sur les terres de ce qui restait de l'ancien Empire romain, entre les rois germaniques, leurs rivaux et, occasionnellement, les armées de Constantinople. Les Wisigoths, les Francs et les Ostrogoths étaient, à cette époque, les peuples les plus puissants.

Dans les années 470, les Wisigoths régnaient sur l'Espagne et le sud-ouest de la France; les Francs occupaient le nord-est de la France et les Ostrogoths les Balkans. En 476, un chef barbare du nom de Odoacre déposa le dernier empereur romain de Ravenne. En 488, le puissant roi ostrogoth, Théodoric, soutenu par l'empereur de Constantinople, envahit l'Italie et y instaura son propre royaume dont il fut le souverain de 493 jusqu'à sa mort en 526. Resté dans l'histoire sous le nom de Théodoric le Grand, il traita avec bienveillance l'ancienne aristocratie romaine, ainsi que les fonctionnaires, s'assurant de leur coopération pour faire régner l'ordre et la paix. Mais ses relations avec Constantinople se détérioraient. Les sujets de Théodoric étaient ariens, et l'arianisme, doctrine chrétienne schismatique, était considéré comme une hérésie depuis le concile de Nicée de 325, et donc condamné par Constantinople et Rome.

Les Francs agrandissaient avec persévérance leurs territoires aux dépens d'autres peuples moins nombreux, tels les Thuringiens, les Alamans et les Bourguignons, entre les années 480 et 490. Leur puissant roi, Clovis, obtint l'appui de Constantinople en se convertissant au catholicisme au début du VIe siècle. Il combattit les Wisigoths dans le sud-est de la Gaule et les repoussa au-delà des Pyrénées. Théodoric tenta d'arrêter l'expansion franque; il assura les Wisigoths de son aide et gouverna l'Espagne lorsque s'éteignit la lignée royale wisigoth : Clovis mourut en 511 et, selon la coutume barbare, son royaume fut partagé entre ses fils. Une ère de dissensions et de guerres intestines affaiblit les royaumes francs qui cessèrent de menacer l'Italie des Ostrogoths.

Théodoric le Grand mourut en 526 et son royaume, comme celui des Francs, commença à s'effriter. Justinien, empereur de Constantinople, tenta alors de reconquérir les anciens territoires romains de l'Ouest. Il envoya en Afrique du Nord un grand général, Bélisaire. Celui-ci vainquit rapidement les Vandales et détruisit leur royaume. En 536, profitant des guerres intestines et des dissensions au sein des royaumes francs et ostrogoths, Justinien expédia Bélisaire en Italie. Ses premières victoires furent décevantes et la guerre se prolongea, ravageant la région, des années durant. Les Ostrogoths maintinrent leurs positions dans le nord de l'Italie et remportèrent de nombreuses victoires dans le sud entre 540 et 548, lorsque Bélisaire, rappelé avec le gros de ses troupes pour aller défendre l'empire d'Orient envahi par les Perses à l'est, leur laissa, pour ainsi dire, la voie libre. Ce n'est qu'en 552,

En haut, à droite : Une mosaïque chrétienne du Ve siècle, le Bon Pasteur de Ravenne.

En bas, à droite : Une boucle de courroie franque, en or et argent, datant du VIe siècle.

En bas : À l'exemple des Romains dont ils préservèrent la civilisation, les rois Goths frappèrent, à leur effigie, leur propre monnaie.

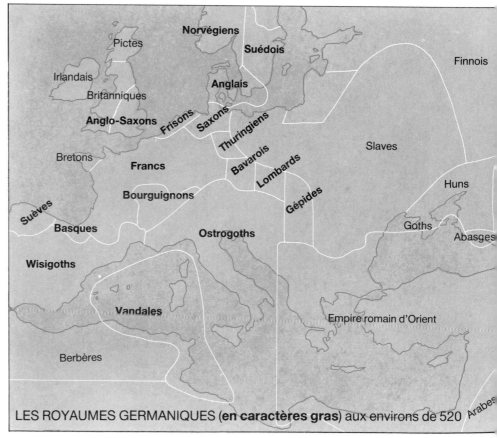

LES ROYAUMES GERMANIQUES (**en caractères gras**) aux environs de 520

Norvégiens
Pictes
Suédois
Finnois
Irlandais
Anglais
Britanniques
Anglo-Saxons Frisons Saxons
Thuringiens
Bretons Bavarois Slaves
Francs Lombards
Bourguignons Gépides Huns
Suèves Goths
Basques **Ostrogoths** Abasges
Wisigoths
Vandales Empire romain d'Orient
Berbères Arabes

sur le mont Vésuve, que la victoire finale fut remportée sur les Goths.

Encouragé par cette victoire, Justinien décida d'intervenir dans une autre guerre civile, chez les Wisigoths d'Espagne, cette même année. Une autre armée byzantine fut envoyée dans le royaume wisigoth. Vers 555, les deux camps adverses, réalisant quelles étaient les intentions de Justinien, s'allièrent pour le combattre. Cette guerre ne valut à Justinien qu'une étroite bande côtière sur la Méditerranée, qui resta dans l'empire jusque dans les années 620.

L'Italie, dévastée par les armées, ravagée par la famine et la peste, tomba rapidement sous l'emprise de nouveaux envahisseurs, les Lombards, dans les années 570 et 580. Ces barbares teutons, venus des côtes de la Baltique, occupaient la majeure partie de l'Italie en 584. Ils conclurent des alliances avec quelques duchés autonomes, afin de renforcer leur autorité. Cependant, Byzance parvint à maintenir dans leur territoire des enclaves de dimensions limitées. Il n'existait alors aucun pouvoir central. Le désordre régnait et le peuple vivait comme il le pouvait, régi par les gouverneurs locaux, fidèles selon le cas aux Lombards ou à Byzance. L'Église apparaissait alors comme la seule structure organisée. L'autorité et le pouvoir des papes s'accrurent.

Le mythe des temps barbares

En haut : Reconstitution du portrait d'un guerrier scandinave vandale.

En bas : Détail de la décoration sur le fermoir d'une bourse retrouvée en Angleterre.

L'image que nous avons aujourd'hui des temps barbares est certainement influencée par notre vision actuelle du monde. Cette époque qui a vu la lente agonie du monde romain, nous apparaît marquée par le désordre, l'anarchie, la mort et la misère. Cette image n'est pas tout à fait vraie. Pour les populations d'Europe occidentale de cette époque, la situation avait très peu changé depuis le dernier siècle de domination romaine.

Les territoires étaient faiblement peuplés. De grands espaces étaient recouverts de forêts, de marécages et de collines arides. Les gens, pour la plupart de petits fermiers, vivaient dans des huttes rassemblées en village autour de la maison en bois de leur chef local. Les villages eux-mêmes étaient dispersés. Du VIᵉ au VIIIᵉ siècles, les armées étaient peu nombreuses, rarement composées de plus de quelques centaines d'hommes. Dans une campagne déserte, les ravages que pouvaient occasionner de telles troupes étaient limités. Il y eut cependant des guerres plus meurtrières et plus dévastatrices comme, par exemple, la guerre qui eut lieu au VIᵉ siècle en Italie, entre les Ostrogoths et les armées de Byzance. Mais, en général, les gens vivaient en paix, occupés par leurs labours et leurs récoltes.

Nous savons peu de choses sur la vie citadine de cette période. Il semble que les vieilles villes romaines aient été abandonnées. De petites communautés vivaient encore dans quelques quartiers parmi les ruines de l'ancienne ville. Des activités artisanales comme le travail des métaux et celui du verre s'ajoutaient aux industries locales de première nécessité, tels le tissage et la fabrication des vêtements, dans différentes régions. Les méthodes d'éducation, la législation et le droit romains étaient unanimement respectés. Aussi, au VIᵉ et au VIIᵉ siècles les nouveaux royaumes goth, franc, saxon et lombard adoptèrent des codes de lois écrites et non plus orales, comme il était d'usage chez les peuples barbares. Les anciennes routes commerciales continuaient toujours à fonctionner. Certains de ces royaumes étaient même très prospères. Les armures, les bijoux et autres objets retrouvés au cours de fouilles archéologiques témoignent d'un goût raffiné pour les

En haut : Reconstitution du casque d'un roi anglo-saxon du VIIe siècle.

belles choses. Certains de ces objets avaient été achetés ou pillés dans les régions de l'Est, mais souvent ils avaient été fabriqués localement. Contrairement à leurs prédécesseurs romains, les rois et les seigneurs de ces royaumes vivaient très simplement, même si leurs épées et leurs bijoux étaient en or, sertis de pierres précieuses. Leurs demeures étaient souvent faites de bois et recouvertes d'un toit de chaume; elles étaient entourées de huttes et de granges. Les paysans vivaient dans de simples huttes en bois dont le sol était en terre et le toit en chaume. Ils abritaient leurs animaux de ferme sous leur propre toit, comme il était d'usage à l'époque. La terre était leur seule source de revenus, elle procurait la nourriture et les taxes.

Le roi tenait son pouvoir de la force de son armée sur laquelle il pouvait compter en temps de guerre. Il s'assurait la loyauté de ses chefs en leur donnant une part du butin et en leur concédant des terres dont ils devenaient les propriétaires. Ces chefs administraient leurs terres, rendaient la justice, collectaient les impôts et recrutaient les soldats parmi leurs sujets et leurs paysans. Aucun roi ou seigneur ne pouvait conserver son pouvoir s'il n'était pas suffisamment fort et habile pour garder sous son emprise des sujets fidèles à sa famille et à lui-même. Les chefs locaux vivaient un peu mieux que les paysans mais, comme eux, ils avaient la vie courte, menacée par la maladie, la famine et la violence. (Selon les études faites dans certaines tombes, la moyenne de vie était de trente-cinq ans; les squelettes indiquent qu'une personne sur quatre vivait au-delà de cinquante ans). Les beaux bijoux et les armes précieusement décorées découverts dans la tombe d'un roi anglo-saxon du VIIe siècle témoignent d'un fait, semble-t-il, exceptionnel, car pour procurer une armure et des armes à un guerrier, il en coûtait l'équivalent de vingt bœufs, soit les bœufs de labour de dix fermiers. Aussi était-il rare de trouver une arme dans une tombe, et encore moins de bijoux et d'objets précieux. Dans la plupart des cimetières où l'on a procédé à des fouilles, une tombe sur trente contenait une épée, alors qu'il était d'usage à l'époque d'enterrer un guerrier avec son arme.

En bas : Fermoir de bourse retrouvé en Angleterre témoignant du haut niveau artistique de l'époque.

L'ascension des Francs

Lorsque Clovis mourut en 511, le royaume franc comprenait ce qui correspond aujourd'hui à la France, les Pays-Bas et quelques régions de l'ouest de l'Allemagne. Suivant la coutume franque, le royaume de Clovis fut partagé entre ses fils. Les rois francs qui succédèrent à Clovis furent de ce fait plus faibles. Divisés, déchirés par des querelles intestines, les royaumes francs n'étaient plus capables d'étendre leurs frontières et d'annexer de nouveaux territoires. Peu à peu, ces royaumes furent divisés en deux grands territoires considérés comme des divisions naturelles, la Neustrie à l'ouest et l'Austrasie à l'est.

Les rois francs qui gouvernèrent du VIe au VIIIe siècle constituèrent la dynastie des Mérovingiens. Cette dynastie donna des rois plus ou moins forts et plus ou moins habiles qui, au cours des ans, perdirent leur pouvoir et leur autorité au profit des nobles de leurs royaumes, dont ils devaient acheter la loyauté. Seule la terre avait de la valeur à cette époque, car seule la terre pouvait produire la richesse. Le roi récompensait un chef militaire en lui donnant une terre. Une autre façon de récompenser la fidélité d'un sujet était de le dispenser du paiement des impôts et taxes. Les rois mérovingiens offrirent donc de grandes parcelles des domaines royaux, jusqu'à réduire au minimum leurs terres, et dispensèrent l'Église du paiement des impôts.

Le christianisme prenait en Europe un grand essor. Les royaumes goths étaient maintenant officiellement chrétiens. Les gens du peuple, à la vie rude et misérable, croyaient profondément au paradis et à l'enfer, dans une vie de l'au-delà. Ces croyances simples mais fortement ancrées permirent aux hommes de l'Église d'étendre leur pouvoir spirituel. Ce pouvoir devint aussi grand que celui des prêtres païens, des sages et des sorciers-guérisseurs par le passé, et même le dépassa. Il était primordial alors, pour tout homme de gouvernement, de s'assurer l'appui de l'Église.

Les rois mérovingiens dilapidèrent donc les terres du royaume et dispensèrent du paiement des impôts tant d'abbayes et d'évêchés que le trésor royal se trouva démuni, trop pauvre pour leur permettre d'exercer un pouvoir réel. Les seigneurs terriens et les évêques prirent en main les rênes du pouvoir. Sauf en de rares cas, le roi n'eut plus son mot à dire. Le pouvoir de décision appartint désormais au *major domus* ou maire du palais. Au cours de cette situation qui dura très longtemps, les grandes familles rivales cherchèrent à étendre leur influence, l'une au détriment de l'autre. L'une de ces familles, les Arnulfing, était particulièrement puissante. Charles Martel, un fils bâtard de cette famille, réussit à prendre le pouvoir en France,

comme maire du palais, en 714, et gouverna le pays jusqu'en 741. Il fut un guerrier courageux et un homme d'État fort et habile. Bien qu'il y eût encore sur le trône un roi mérovingien, Charles Martel se conduisit en maître du royaume.

Il mena de nombreuses guerres contre les Francs rivaux de Neustrie et contre les Frisons païens et les tribus saxonnes sur les frontières germaniques du royaume. Il repoussa les assauts des Sarrasins venant d'Espagne, dans le sud du pays. En 732, il vainquit l'armée islamique près de Poitiers. A la suite de cette défaite, les armées arabes ne s'aventurèrent plus jamais en France. Il renforça l'autorité du trône franc en confisquant, avec l'approbation du pape, une grande partie des terres de l'Église au sein du royaume. Il redistribua ces terres selon un système dont il fut l'initiateur et qui devait marquer un tournant dans l'histoire de l'Europe, le système féodal.

Selon ce système, des terres étaient données à des vassaux, des seigneurs et chefs qui devaient faire allégeance au roi, jurer de lui fournir un certain nombre de soldats qui se battraient pour lui chaque fois qu'il en aurait besoin, sous certaines conditions. La terre n'était plus accordée seulement dans l'espoir de s'assurer la loyauté d'un sujet, comme par le passé. Un don en terre faisait partie d'un contrat

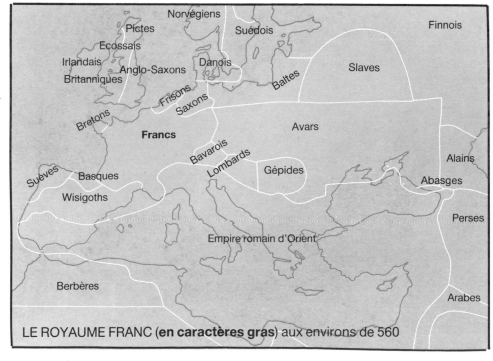

LE ROYAUME FRANC (en caractères gras) aux environs de 560

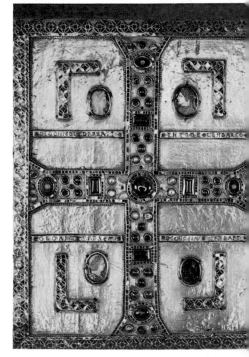

L'art du royaume lombard d'Italie allie aux formes romaines la vigueur germanique.

En haut : Plaque frontale d'un casque royal, avec, selon le style romain, les victoires ailées encadrant la garde du roi.

En bas : Reliure en or d'une bible, incrustée de camées et de pierres précieuses.

En bas, à droite : La Croix d'Agilulf, de la cathédrale de Monza.

entre le roi et son noble vassal. La terre donnait au noble les moyens de lever des troupes que le roi n'avait plus à payer en pièces d'or, ruinant le Trésor de l'État à chaque guerre. Le roi pouvait donc ainsi se constituer une armée forte, conduite par ses nobles vassaux, et lui faire mener campagne pendant un temps convenu, avec une certitude raisonnable que cette armée obéirait à ses ordres tant qu'il respecterait sa part du contrat et qu'il ne chercherait pas à confisquer les terres.

Pépin succéda à son père, Charles Martel. Les rois mérovingiens étaient complètement discrédités. Pépin le Bref, avec la bénédiction du Pape dont il se fit un solide allié, devint roi en titre et en pouvoir. Il étendit le territoire de la France et consolida le système féodal inauguré par son père. Il aida le pape à battre les Lombards, s'assurant ainsi l'appui de l'Église dont l'influence grandissait toujours.

Lorsque Pépin le Bref mourut en 768, le royaume fut partagé entre ses deux fils, Carloman et Charles. Carloman mourut trois ans plus tard et Charles régna sur toute la France de 771 à 814, méritant pour tout ce qu'il fit le nom que l'Histoire lui donna de Charlemagne ou Charles le Grand.

Charlemagne

Les guerres contre les Saxons à l'est, les Sarrasins au sud-ouest et les Lombards en Italie devaient occuper la plus grande partie du long règne de Charlemagne. Le roi des Francs passa tous les printemps, les étés et les débuts d'automne sur le champ de bataille et bien souvent, fait exceptionnel à cette époque, il continua la guerre pendant l'hiver. Cinquante campagnes furent menées pendant son règne, dont trente dirigées par lui, en personne.

La guerre contre les Lombards, menée pour soutenir le pape, allié du royaume depuis Pépin le Bref, père de Charlemagne, rapporta tout le nord de l'Italie aux Francs.

La guerre contre les Saxons fut longue et coûta cher. Après de longues années d'efforts, avec des revers sanglants et des victoires de courte durée, beaucoup de cruauté de part et d'autre, Charlemagne finit par vaincre les tribus saxonnes. Dans toutes ces campagnes sur les frontières de l'Est, Charlemagne avait été soutenu par l'Église de Rome qui voulait en finir avec le paganisme germanique. De nombreuses missions chrétiennes travaillaient depuis des générations au sein de ces tribus, cherchant à convertir ces païens germaniques. La victoire franque servait aussi bien les intérêts du pape que ceux de l'empire

En haut : Une peinture du Moyen Âge représentant le couronnement de Charlemagne comme Saint Empereur romain. Les costumes sont ceux de l'époque où vécut l'artiste.

franc. Les Francs gagnèrent de nouveaux territoires avec de nouvelles richesses, davantage de sujets payant des taxes. La victoire fut plus aisée lorsque le message du christianisme fut enfin écouté, mettant fin à la résistance païenne. De nouveaux convertis, domptés par l'épée des Francs, ralliaient le pape. Tous ces convertis le furent, pour la plupart, par la force, l'épée sous la gorge. Vers la fin des années 790, les guerres contre les Saxons étaient terminées.

Sur la frontière espagnole, Charlemagne se battit plusieurs fois contre les Sarrasins, remportant généralement la victoire. La frontière naturelle des Pyrénées resta sauve mais ce succès ne fut pas gratuit. En 778, dans la vallée de Roncevaux où l'un des douze pairs de Charlemagne, Roland, trouva la mort, une armée franque battant en retraite fut complètement anéantie par des montagnards basques.

A la fin du VIIIᵉ siècle, l'empire s'étendait du golfe de Gascogne à

l'Elbe et au Danube, de la mer du Nord au centre de l'Italie. C'était l'état le mieux structuré, le plus puissant et, potentiellement, le plus civilisé que l'Europe eût connu depuis la chute de Rome. Le Pape soutint Charlemagne, « l'Epée de l'Église », qui, dans une Europe stable, devait lui permettre de développer l'influence grandissante du christianisme. Ce soutien de l'Église assura Charlemagne d'une aide considérable dans toutes ses entreprises et lui donna un très grand prestige. En l'an 800, le pape Léon III sacra Charlemagne empereur d'Occident, avec le titre de « Saint Empereur romain », dans la basilique Saint-Pierre. Ce titre qui consacrait l'œuvre de Charlemagne provoqua un malaise qui devait durer longtemps entre l'Église catholique de Rome et l'Église byzantine de l'Est. En fait, cette tentative de faire revivre l'Empire romain d'Occident, sous l'égide de l'Église, n'eut pas les répercussions souhaitées. L'empire de Charlemagne était sa propre œuvre. Il put en maintenir l'unité grâce à des qualités qui lui étaient propres, sa force et son habileté. Mais après sa mort, son empire ne put lui survivre très longtemps. Par contre, les rois de ce qui était devenu l'Europe, grâce à l'œuvre des Francs, devaient se battre

En haut : Ivoire représentant Charlemagne sur son trône.

En bas : Peigne du IXᵉ siècle, finement ciselé et incrusté de pierres, typique de l'art carolingien.

longtemps pour ce titre de Saint Empereur romain que le pape avait donné au fondateur de la dynastie des Carolingiens.

Les armées franques de Charlemagne, levées par ses riches et puissants vassaux, avaient une cavalerie lourde particulièrement forte. Les étriers furent connus dans l'Ouest dès les premières années du VIIIᵉ siècle, mais le coût de l'équipement d'un cavalier en armure était si élevé que la formation d'une cavalerie ne put être réalisée avant la deuxième moitié du VIIIᵉ siècle. L'étrier permettait au cavalier une assez bonne assise après la charge contre un ennemi avec la lance serrée sous le bras. Cette tactique d'attaque fut très efficace dans les combats contre les fantassins et les cavaliers légers des Sarrasins et des barbares de l'Est. Sous Charles

En bas : Pendant les guerres frontalières contre les Saxons, les Francs procédaient à des conversions forcées parmi les Saxons.

Martel, dans les années 730, les armées franques étaient essentiellement composées de soldats à pied. Ce nouveau mode de combat, inauguré sous Charlemagne alors que l'empire était riche et stable, devait faire faire un grand pas en avant à l'art de la guerre.

Charlemagne fut non seulement un grand conquérant, mais aussi un législateur, un protecteur des lettres et des arts dont l'influence fut profonde sur le développement de la civilisation occidentale. Il encouragea l'enseignement des sciences et des arts qui avaient été complètement négligés pendant les siècles précédents. Seuls les prêtres savaient lire et écrire et, bien souvent, n'avaient reçu qu'une éducation élémentaire. Faire revivre les métiers de l'époque romaine était de l'intérêt même du pays. Charlemagne assura l'Église de son aide constante dans cette mission. Il fit ouvrir des écoles, se fit construire un superbe palais à Aix-la-Chapelle où il sut s'entourer d'érudits, dans sa cour. Une ère nouvelle de lumière s'ouvrait.

L'arrivée des Vikings

En 789, trois navires accostaient près de Portland, en Angleterre. Un fonctionnaire du roi du Wessex examina les bateaux et, demandant aux équipages de se rendre à la cour du roi, il fut tué. Cet homme, qui avait cru avoir affaire à de timides marchands, venait d'être tué par des Vikings, ces intrépides pirates scandinaves qui couraient les mers et dont le seul nom devait faire trembler l'Europe pendant deux cent cinquante ans.

On ne sait exactement pourquoi des Danois, des Norvégiens et des Suédois quittèrent soudain leurs pays vers la fin du VIIIe siècle. Selon certains historiens, plusieurs causes les avaient poussés à attaquer les côtes de l'Europe et les estuaires des fleuves européens, puis à s'installer sur les terres conquises. Tout d'abord, un accroissement des populations scandinaves avait rendu dans leurs pays les terres arables insuffisantes. D'autre part, il semble que les scandinaves aient réalisé d'importants progrès dans la construction navale, et grâce à leurs grands bateaux à soixante rameurs, ils pouvaient s'aventurer

En haut : Une hache incrustée d'argent retrouvée dans la tombe d'un chef jute.

À gauche : Un éclaireur viking engage ses compagnons à accoster.

À droite : Pierre gravée du VIIIe siècle, trouvée à Gotland, en Suède. La bordure en entrelacs est typique de l'art viking.

dans les océans avec un plus grand nombre d'hommes à bord. En même temps, le commerce se développa à nouveau en Europe après des siècles de désordre. Les Vikings étaient également des commerçants. Ils parcoururent toute la Russie, naviguant sur ses fleuves et atteignirent les anciennes routes commerciales des Arabes, à l'est. Les anciens maîtres des mers du nord, les Frisons, avaient été anéantis par les Carolingiens. Les Vikings n'avaient pas de concurrents. Ils améliorèrent les routes commerciales et y opérèrent des actes de piraterie en même temps que le commerce. La piraterie était très profitable à l'époque.

Les Vikings prenaient comme cibles les monastères proches des côtes; des cibles riches et faciles. Les moines qui racontèrent les événements de cette époque présentent les Vikings comme de cruels tueurs païens. En fait, ils n'étaient ni plus ni moins civilisés que la plupart des hommes du nord, à l'époque. Ils avaient une belle et solide culture, ainsi qu'en témoignent leurs poèmes et leurs sculptures. Ils étaient d'habiles et audacieux navigateurs, des combattants féroces, impitoyables et non pas simplement des barbares destructeurs. Ils ne tuaient pas pour tuer. Ils tuèrent d'abord pour le butin et, plus tard, pour la terre.

Pendant près de quatre-vingts ans, des années 790 aux années 860, la menace des Vikings pesa lourdement sur l'Europe. Chaque été, pendant toute cette période, ils attaquèrent les côtes de Bretagne et de l'Europe. Ils remontèrent les grands fleuves, comme le Rhin, la Seine et la Loire et atteignirent ainsi le cœur des pays. Ils mirent à sac de grandes villes comme Hambourg, Utrecht et Rouen. Ils s'établirent de façon permanente sur des îles au large de l'Écosse et occupèrent de larges territoires en Irlande. En 845, ils attaquèrent Paris et réparèrent leurs bateaux avec le bois pris sur les toits des églises.

Leurs victoires n'étaient dues à aucune arme secrète, mais à l'effet de surprise de leurs attaques. Les Francs et les Saxons n'avaient pas d'armée de métier, toujours prête pour le combat. Les bateaux des Vikings, à la proue en forme de dragon, accostaient la nuit ou par temps couvert et, avant que les autorités locales ne les eussent repérés, une douzaine de villages étaient incendiés. Les Vikings construisaient un camp de protection autour de leurs bateaux, capturaient les chevaux et pénétraient plus loin dans le pays. Ils pillaient et emportaient tout leur butin avant qu'aucune force armée ne pût être rassemblée. Ils se battaient à pied, armés d'épées, de lances et des fameuses haches scandinaves. La lourde cavalerie carolingienne aurait pu les défaire si elle avait pu mettre la main dessus. De surcroît, les Francs étaient minés par les rivalités et les guerres, tandis que les Vikings devenaient plus forts et plus audacieux.

Ils commencèrent par s'établir dans des campements fortifiés pendant

l'hiver, au lieu de retourner dans leurs fjords avec leur butin. Pendant la deuxième moitié du IXe siècle, l'ouest fut le champ de guerres constantes lorsque les Vikings du Danemark et de Norvège tentèrent d'occuper de nombreux territoires de façon permanente. En Russie, les Vikings suédois fondèrent de puissantes principautés dans les villes de Kiev et de Novgorod où ils établirent de petits centres commerciaux. Certains rois des anciennes nations, comme Alfred de Wessex, combattirent les Vikings sans relâche, remportant de nombreuses victoires et imposant ainsi aux turbulents Vikings de demeurer pacifiques dans leur voisinage. Dans la France carolingienne affaiblie, les Vikings ne purent être vaincus et ils forcèrent les rois à leur payer de fortes sommes pour acheter une paix relative.

En bas : Garde d'épée richement décorée retrouvée en Suède, datant probablement du Xe siècle.

Les colonies de Vikings

Les royaumes anglo-saxons divisés tombèrent rapidement sous les assauts déterminés des Vikings danois. La Northumbrie tomba en 867, l'East Anglia en 870 et la Mercie en 874. Tout le nord et l'est de l'Angleterre, au nord de la Tamise, étaient sous la domination danoise. En 878, le chef des Danois, Guthrum, conduisit une armée au sud et à l'ouest pour combattre le dernier bastion anglo-saxon, le royaume de Wessex, qui couvrait le sud et l'ouest de l'Angleterre. Cette armée ne comptait qu'une partie des Danois de l'Angleterre, un grand nombre d'entre eux s'étant établis sur les territoires récemment conquis. Le roi de Wessex, Alfred (871-899), appelé plus tard Alfred le Grand, résista toute sa vie aux Vikings et réussit à les repousser. En 886, l'Angleterre était divisée en deux, suivant une ligne allant de Londres à Chester : un royaume anglo-saxon dans le sud, le Wessex, et un territoire sous le contrôle danois, le *Danelaw*, dans le nord. Guthrum se convertit au christianisme, et les

Danois et les Saxons vécurent sinon en bonne entente, du moins dans des rapports de bon voisinage. Le fils d'Alfred, Edouard, et son petit-fils, Athelstan, luttèrent pour reconquérir le *Danelaw*. En 954, la mort du roi de Northumbrie, Eric Bloodaxe, marqua la fin du règne viking pour près d'une génération.

Entre les années 890 et 980, l'Europe connut un période de répit. Le transport d'argent arabe sur les routes commerciales de l'est et de Byzance attira l'attention des Vikings qui se tournèrent vers la Baltique, la Russie et le Moyen-Orient. En même temps, les Vikings exploraient et colonisaient l'Islande. Il était évidemment beaucoup plus facile de vaincre des Vikings sédentarisés, liés à des fermes et des villages, ayant des familles, et de ce fait plus vulnérables, que de se battre contre des Vikings sans entraves qui lançaient leurs assauts en sautant de leurs bateaux. Les Vikings installés devaient penser à leur défense et n'avaient plus l'avantage de l'effet de surprise qui faisait la force de leurs

attaques.

Dans les années 980, une seconde vague de Danois envahit l'Angleterre. L'argent de l'Est était tari et le puissant royaume du Danemark se tournait vers l'Ouest pour de nouveaux butins. L'exploration et la colonisation continuaient; l'établissement des Vikings dans le Groenland et dans le nord-est de l'Amérique date de cette époque. L'Angleterre était stable et riche, mais affaiblie du fait, semble-t-il, du manque de loyauté vis-à-vis du pouvoir central au profit du pouvoir local dans le Wessex, la Northumbrie et la Mercie. Le roi danois Svein Forkbeard en profita pour déclencher la guerre en 1003. En 1013, il devint roi de l'Angleterre. Il mourut peu après et son fils, Knut, régna sur un empire groupant l'Angleterre, le Danemark et

À droite : Reconstitution de l'intérieur d'une maison viking, avec les outils, les ustensiles et un métier à tisser. La marmite est suspendue au-dessus d'un simple feu au milieu de pierres.

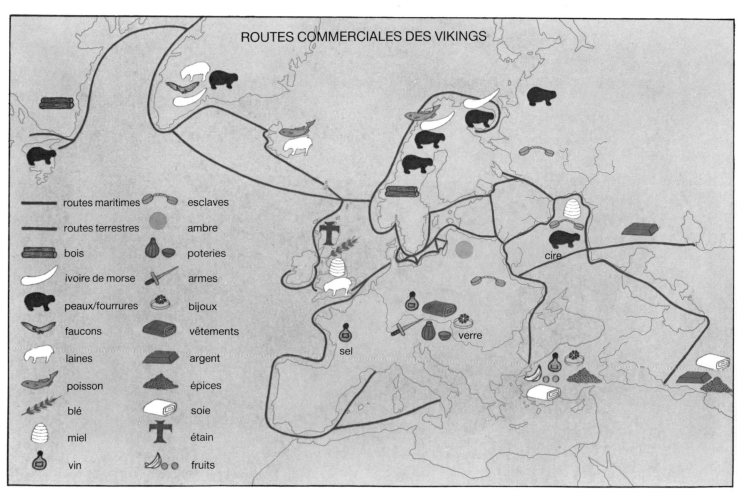

ROUTES COMMERCIALES DES VIKINGS

——	routes maritimes	esclaves	
—	routes terrestres	ambre	
	bois	poteries	
	ivoire de morse	armes	
	peaux/fourrures	bijoux	
	faucons	vêtements	
	laines	argent	
	poisson	épices	
	blé	soie	
	miel	étain	
	vin	fruits	

cire

sel

verre

a Norvège. Cet empire s'effondra sous
le règne de ses enfants. En 1042,
Édouard le Confesseur, petit-fils de
Knut, prit le trône d'Angleterre. Ce fut
un roi bon et pacifique.

Les Vikings originaires des trois
pays scandinaves s'adaptaient
aisément à la vie dans les pays où ils
s'installaient. Ceux qui s'étaient établis
en Angleterre furent rapidement
intégrés au reste de la population,
ajoutant à la langue des Saxons des
noms et des mots de leur dialecte. Ils se
convertirent au christianisme et ne se
distinguèrent plus du reste des Saxons.
Ceux qui s'installèrent en Russie (dont
le nom dérive du nom des Vikings
suédois, les Rus, qui fondèrent les villes
de Kiev et de Novgorod) devinrent au
bout de quelques générations des
slaves, comme le reste de la
population. Les Normands qui
s'installèrent dans le nord de la France
furent également complètement
assimilés après quelques générations.
Les autres colonies d'Islande, du
Groenland et de Vinland (sur la côte
de l'Amérique) se désintégrèrent,
n'ayant jamais fait souche.

Les Vikings étaient partis en
exploration dans ces régions
déshéritées, à la recherche de fourrures
et d'ivoires de morses pour le
commerce, mais également dans un
esprit d'aventure. Sous un climat peu
clément, très loin de chez eux, ils furent
vite éliminés par les populations
locales. Aussi ne laissèrent ils que peu
de traces de leur passage aux peuples
qui s'établirent après eux dans ces
régions. Les Vikings donnèrent aux
nations européennes où ils
s'installèrent le goût et la connaissance
de la mer. Ils laissèrent le souvenir
d'un peuple cruel, semant la terreur,
avant de se retirer dans leurs pays du
nord.

**À droite : Garde viking de
l'empereur de Constantinople, sous
son uniforme coloré, portant ses
armes, dont la hache à deux têtes.
Les Norvégiens, qui avaient une
excellente réputation, ont, pendant
des siècles, constitué la garde
personnelle des empereurs. Ils
constituèrent également des
troupes d'élite dans différentes
guerres.**

Naissance des royaumes de l'Europe

Entre 815 et l'an mille, l'Europe avait à nouveau éclaté en petits états qui devaient donner naissance aux nations européennes telles que nous les connaissons aujourd'hui. L'empire de Charlemagne, qui fut considéré par certains comme la restauration de l'Empire romain catholique, ne put tenir que grâce à l'autorité propre au roi des Francs. Son fils qui lui succéda gouverna avec efficacité l'empire, mais ses petits fils le divisèrent en trois royaumes. Les rivalités entre eux conduisirent à la perte de l'autorité des rois francs. La situation, telle qu'elle était sous les Mérovingiens se renouvela : des rois faibles qui se battaient l'un contre l'autre et qui achetaient des alliances en dilapidant les biens du Trésor au profit des seigneurs locaux. Le système féodal structuré par Charlemagne se désintégrait. Les nobles vassaux ne reconnaissaient plus l'autorité du roi, transmettaient leurs terres à leurs enfants et gardaient pour eux-mêmes les impôts qu'ils collectaient. Ils jouaient sur la faiblesse des rois, perdant les guerres lorsque cela leur convenait, dans le but d'accroître leur pouvoir.

Au début du Xe siècle, les royaumes francs de l'Est et de l'Ouest étaient complètement indépendants l'un de l'autre. Ces deux royaumes étaient les ancêtres de l'Allemagne et de la France d'aujourd'hui. Chaque royaume était lui-même divisé en duchés et comtés dont les noms sont ceux de nos provinces d'aujourd'hui : la Bretagne, la Lorraine, la Provence, la Bourgogne. Au Xe siècle, les rois francs ne possédaient plus qu'un petit territoire autour de Paris et leur pouvoir n'était que nominal. Un roi fort, hardi et rusé réussissait à se faire obéir par les seigneurs des différentes provinces, mais, à sa mort, son successeur avait tout à recommencer.

La partie italienne de l'empire de Charlemagne s'était également rapidement séparée. Elle fut replongée dans l'anarchie avec les Lombards, les Francs, les Byzantins et le pape se disputant le pouvoir dans différentes provinces. En Germanie, les Francs eurent à faire face à de longues guerres sur les frontières de l'est. Les derniers envahisseurs venant des steppes de l'est occupèrent ces régions pendant longtemps. Les Avars s'y installèrent au IXe siècle et les Magyars de la fin du IXe au milieu du Xe siècle. Ces peuplades slaves furent finalement vaincues et du fait de cette victoire, l'autorité des rois germaniques ne fut plus discutée. En 962, Otto 1er se fit sacrer empereur à Rome, à l'exemple de Charlemagne. Le titre de Saint Empereur romain était honorifique et témoignait du prestige du roi auquel il était attribué. L'importance d'Otto 1er et de ses successeurs, jusqu'aux Habsbourg des XVIe et XVIIe siècles, n'était pas due à ce titre mais au fait qu'ils étaient des rois puissants, au pouvoir incontesté.

Les Sarrasins continuaient à piller la Méditerranée, selon leur bon plaisir et sans contrôle, surtout les pirates venant d'Afrique du Nord. Les côtes méditerranéennes de toute l'Europe subirent les attaques des pirates et, en 846, Rome elle-même fut pillée. Ce pillage fut le dernier que Rome eut à subir.

L'Angleterre de cette époque était, en quelque sorte, à l'écart des affaires de l'Europe. Le christianisme n'y fut instauré qu'en 680 après la conversion du dernier roi païen. Des missionnaires romains accompagnèrent saint Augustin, lorsqu'il débarqua dans le Kent en 597. Ces missionnaires prirent le contrôle de l'Église anglaise, en 664, par le biais des églises de culte celte chrétien, qui existaient depuis l'Empire romain. Ces faits rattachèrent l'Angleterre à l'Europe chrétienne.

Pendant le VIIIe siècle, de nombreuses missions anglaises jouèrent un rôle important dans la conversion des peuplades germaniques. De plus, l'Église anglaise dépêcha auprès de Charlemagne un certain nombre de ses plus fins érudits. Les royaumes saxons, presque complètement désintégrés par les Vikings, puis unifiés par les puissants rois du Wessex, furent longtemps essentiellement préoccupés par des problèmes internes. Les guerres danoises mobilisèrent les Saxons depuis le début du IXe siècle jusqu'au milieu du Xe siècle. Pendant près de cent cinquante ans, les rois d'Angleterre n'eurent ni le temps, ni le loisir de se consacrer aux affaires de l'Europe. Dans cette région, comme chez les Francs, la structure féodale assurait une organisation centrale et donnait au roi un grand pouvoir. Mais encore fallait-il qu'il fût fort pour maîtriser ses vassaux et comme la plupart du temps il ne l'était pas, les seigneurs locaux furent en fait les gouvernants de l'Angleterre.

En haut : Clocher d'une église en Angleterre. En dehors des églises, les Saxons, à cette époque, construisaient peu de bâtiments en pierre.

À gauche : Un village du Xe siècle.

À droite : Une broche anglo-saxonne du IXe siècle représentant les cinq sens.

39

Byzance

L'Empire romain d'Orient restait encore puissant alors qu'en occident, dans les territoires de l'ancien Empire romain d'Occident, apparaissaient et disparaissaient de petits royaumes, sous la poussée des envahisseurs barbares. L'empereur Justinien (527-565) tenta de reconquérir certaines régions pour le compte de Rome. Un remarquable général byzantin, Bélisaire, vainquit les Vandales et reconquit l'Afrique du Nord, en 532-535. Il remporta de nombreuses victoires sur les Ostrogoths d'Italie. Mais finalement, Constantinople fut contrainte de se maintenir dans ses frontières qui incluaient les Balkans, les territoires de la Turquie moderne et en gros, le Moyen-Orient. Pendant cinq cents ans, les Byzantins eurent à se défendre des attaques renouvelées des Perses, des Arabes, des Bulgares, des Slaves et des Russes. Ils remportèrent des victoires et essuyèrent des défaites, mais leur machine de guerre, forte et efficace, leur permit de survivre sans grand changement jusqu'au XIe siècle. Leur puissante force navale leur permettait de se déplacer le long des côtes de la Méditerranée et de la mer Noire et de satisfaire aux besoins de l'armée de terre. L'armée était composée d'éléments d'élite d'origine romaine, grecque, goth, ou des pays d'Orient.

L'Empire était divisé en provinces militaires dirigées par de puissants gouverneurs. L'administration centrale était impitoyable et veillait à ce qu'aucun gouverneur de province ne devînt trop puissant, ce afin de préserver son propre pouvoir. Les frontières des provinces étaient gardées par des mercenaires barbares. En cas de guerre, les hommes étaient appelés sous les armes. Ces hommes n'étaient pas de simples paysans mais des soldats fermiers, des réservistes bien entraînés qui avaient tout intérêt à défendre des terres dont ils étaient les propriétaires. À Constantinople, l'empereur tenait sur pied une armée permanente de soldats professionnels, bien payés et constamment entraînés.

L'armée byzantine était composée d'une force de choc, la cavalerie lourde, renforcée d'une infanterie lourde et légère. La cavalerie jouait un rôle décisif. Le cavalier portait une lourde armure en cotte de mailles ou en écailles métalliques, il était entraîné au maniement de tout un arsenal d'armes : lances, arcs, javelots et épées. Il se battait avec l'une ou l'autre arme selon les circonstances du combat et selon l'ennemi auquel il avait à faire face. L'organisation militaire était très rigoureuse. Les officiers étudiaient l'histoire des guerres ainsi que la stratégie et la tactique militaire. L'armée compensait sa faiblesse numérique par d'habiles manœuvres, une action précise et une discipline sévère. Un important réseau d'espions et d'agents secrets informait Constantinople des plans d'action des peuples voisins et, bien souvent, achetait des soutiens et des complaisances dans l'intérêt de l'empire.

Byzance connut un âge d'or pendant le IXe et le Xe siècle, sous le règne de puissants empereurs-soldats. L'empire s'étendit du Danube à Antioche et du sud de l'Italie jusqu'à l'Arménie. Le déclin commença dès le début du XIe siècle. Une crise intérieure affaiblit la capacité de résistance de l'empire et conduisit à la défaite désastreuse de Mantzikert, en 1071. En quelques semaines, une armée de Turcs seldjoukides, conduite par un grand chef militaire, Alp Arslan, le « Lion héroïque », écrasa l'armée impériale et envahit les provinces d'Asie Mineure correspondant à la Turquie moderne. Le désastre eut deux causes principales : les querelles entre des dirigeants rivaux à Byzance et l'affaiblissement de l'armée. L'Empire byzantin ne devait jamais pouvoir s'en remettre. Même lorsque les provinces de l'Anatolie furent récupérées, elles avaient été tellement saccagées, qu'elles ne purent plus jamais fournir à Constantinople les hommes, les récoltes et les impôts qu'elles procuraient par le passé et qui constituaient un apport d'une importance cruciale.

À droite : Scène de bataille représentant la cavalerie byzantine, avec la trompette à gauche.

En bas, à gauche : Une boucle d'oreille en or, décorée de pierres de couleurs.

En haut : Sculpture représentant l'impératrice Irène de Byzance qui régna de 797 à 802. Elle était contemporaine de Charlemagne.

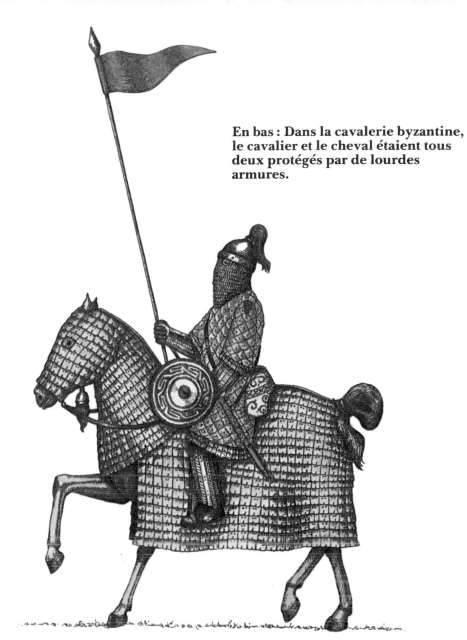

En bas : Dans la cavalerie byzantine, le cavalier et le cheval étaient tous deux protégés par de lourdes armures.

L'arrivée de l'Islam

Le prophète Mahomet naquit à La Mecque, en 570. En 613, il commença à prêcher une nouvelle religion qui lui fut révélée par Dieu, Allah, lors de ses retraites solitaires dans la montagne. L'islam était né et ses adeptes furent appelés les musulmans. La nouvelle religion rencontra au début une forte résistance et une certaine persécution mais, lorsque Mahomet mourut en 632, l'islam était fermement ancré dans toute la péninsule arabique. Les successeurs de Mahomet, qui prirent le titre de *califes*, lancèrent une série de guerres éclairs contre les vieilles puissances de l'Est. Malgré leur faiblesse en armes nouvelles et leur lacune en tactiques guerrières, les Arabes remportèrent de fulgurantes victoires. Hommes du désert, endurcis par une vie rude, les Arabes étaient des combattants rapides et téméraires. Ils se battaient avec des armes légères. Leur arme principale était leur esprit de conquête soutenu par leur nouvelle foi.

Les deux grandes puissances de l'Est étaient la Perse et Byzance. En 661, la Perse tombait aux mains des conquérants arabes, après la Syrie, l'Égypte, la Palestine et la côte lybienne. Byzance avait subi d'humiliantes défaites et ses frontières avaient été repoussées jusqu'aux territoires de la Turquie moderne.

Cependant, Constantinople n'était pas tombée. Les dissensions au sein des dirigeants musulmans, concernant la succession au pouvoir, avaient ralenti l'avance des armées islamiques jusqu'au début du VIIIe siècle. Sous le calife Al Walid, le reste de l'Afrique du Nord fut conquis. En 711, tout ce que nous appelons aujourd'hui le monde arabe faisait partie du califat de Damas. En 715, la quasi-totalité de l'Espagne était également conquise.

Les Arabes avaient à cœur la conquête de Constantinople, capitale de l'Empire byzantin. Bien que l'empire fût affaibli, toutes leurs tentatives avaient échoué, déjouées par l'armée impériale encore forte, et surtout par les forces navales restées puissantes. En 717, les Arabes lancèrent deux attaques simultanées contre Constantinople. Le général Maslama conduisit l'attaque contre les fortifications de la ville par voie de terre, tandis que l'amiral Soliman tentait de couper la route en mer aux forces navales byzantines.

Constantinople était prête à faire face à cette double attaque. Les Byzantins possédaient une arme secrète, le feu grégeois. C'était un mélange incendiaire de produits chimiques, de substances grasses ou résineuses mêlées à du salpêtre. Les Byzantins lançaient ce mélange en flammes sur l'ennemi.

L'empereur Léon III, général de l'armée de Constantinople, utilisa cette arme et fit échouer dans le Bosphore un grand nombre de navires arabes. Les Byzantins remportèrent d'autres victoires sur mer et sur terre et, en août 718, les Arabes levèrent le siège de Constantinople. Poursuivant la guerre, les Byzantins réussirent à maintenir les Arabes hors des frontières de ce qui est aujourd'hui la Turquie.

Les Arabes subirent d'autres défaites à l'ouest. En 732, ils tentèrent d'envahir la France par l'Espagne. Ils furent vaincus par les troupes franques, menées par Charles Martel, dans une bataille près de Poitiers. Les territoires conquis par les Arabes avaient comme limites les Pyrénées à l'ouest et les frontières de la Turquie moderne à l'est. Ayant échoué dans leur avance en Occident, ils se tournèrent à nouveau vers l'Est et, en 750, ils atteignirent l'Asie centrale, jusqu'aux frontières de l'Inde et de la Chine.

En bas, à gauche : Miniature représentant une scène de la vie de Mahomet.

En bas : Un tapis de prières.

À droite : Les bateaux arabes détruits par le feu grégeois.

L'islam en Espagne

L'histoire de la péninsule ibérique, Espagne et Portugal, du VIIIe au XIVe siècle, est particulièrement mouvementée. Les pouvoirs locaux, les ambitions personnelles prenaient le pas sur les intérêts généraux, tant dans le camp chrétien que dans le camp musulman ou maure. L'invasion maure qui eut lieu de 711 à 715 n'allait tout de même pas détruire une civilisation bien établie et une nation déjà affirmée. Les petits royaumes chrétiens de Léon, Navarre, Castille et Aragon qui s'étaient constitués aux frontières du califat islamique étaient indépendants les uns des autres et aucune politique d'entraide ou de soutien ne les liait. Après l'an mille environ, des rivalités entre les Maures conduisirent à l'instauration de plusieurs émirats. Les émirs arabes — ou princes — contrôlaient l'est du pays, tandis que l'ouest était contrôlé par les Berbères originaires des régions conquises en Afrique du Nord par les armées islamiques au cours des VIIe et VIIIe siècles. On comptait à l'époque au moins vingt émirats maures indépendants. Dans ces petits États, comme d'ailleurs dans les petits royaumes chrétiens, les guerres et les complots étaient constants. Il arrivait souvent qu'un État maure s'alliât à un État chrétien contre un ennemi commun temporaire, maure ou chrétien. Des mercenaires, généraux ou soldats, de l'un ou l'autre camp, se faisaient souvent payer par le camp adverse pour se battre contre leur propre peuple.

Les royaumes chrétiens mirent des siècles à s'unir contre les Maures. Les Maures ne réalisèrent jamais une unité véritable, sauf en de courtes périodes, lorsqu'ils y furent forcés par un nouveau pouvoir puissant, comme par les Almoravides en 1086 et les Almohades en 1146. Ces dynasties elles-mêmes ne vécurent que quelques décennies et leurs royaumes éclatèrent en de petits États caractéristiques de l'Espagne de l'époque. Les chrétiens auraient pu accélérer leur reconquête en attaquant chaque émirat séparément s'ils n'avaient été occupés à se faire la guerre.

Le dernier émirat maure, celui de Grenade, ne fut reconquis par les chrétiens que dans les dernières années du XVe siècle. Les Maures, qui avaient occupé l'Espagne si longtemps, influencèrent la civilisation espagnole dans ses traditions et sa culture, autant que les royaumes chrétiens. On peut dire que l'Espagne moderne est le produit de deux civilisations, chrétienne et maure.

Les Espagnols et les Maures se battaient selon les mêmes méthodes, bien que les chrétiens fussent informés par des chevaliers francs des derniers moyens stratégiques et tactiques adoptés en Occident. Le système féodal n'existait pas en Espagne et les petits royaumes ne disposaient pas de moyens qui leur permettaient d'équiper une cavalerie en armure. Par ailleurs, l'infanterie, armée de lances et d'arcs, était plus efficace dans les régions montagneuses du centre du

En haut : **Pièce de monnaie en or frappée en Espagne sous le califat islamique.**

En bas : **Détail d'un casque en ivoire sculpté, datant du XIe siècle, en provenance de Cordoue, où l'on voit entremêlés, les styles arabe et espagnol.**

À droite : **Le portail de San Miguel, à Cordoue.**

pays. Les Berbères, qui étaient un peuple montagnard, mettaient sur pied une grande infanterie encadrée de petites troupes de cavaliers légers qui protégeaient ses flancs et servaient d'éclaireurs et de pillards. Ces méthodes de combat furent employées durant des siècles. L'Espagne était réputée pour son excellente infanterie plutôt que pour sa cavalerie.

Les armées n'étaient pas permanentes. Les chefs des États, tant maures que chrétiens, disposaient de gardes du corps mais pour mener campagne, ils louaient les services de mercenaires et levaient une armée parmi les paysans lorsqu'une guerre éclatait sur les frontières. La production agricole de l'Espagne ne permettait pas d'entretenir une grande armée pendant longtemps. Les récoltes étaient maigres et réclamaient beaucoup de travail de la part des paysans, qu'on ne pouvait donc pas éloigner de leurs terres pour de longues campagnes. Ce n'est que lorsque de nouvelles forces armées venant d'Afrique traversaient le détroit de Gibraltar, ou lorsque les royaumes chrétiens s'unissaient, qu'avaient lieu des guerres plus longues et plus lourdes de conséquences.

Les Normands

En 911, un chef viking danois, du nom de Hrolf, à la recherche de butin, conduisit ses guerriers dans une campagne le long de la vallée de la Seine, remontant le fleuve. Les Vikings pénétrèrent plus loin dans le pays et assiégèrent Chartres, sans succès. Les Francs étaient à l'abri derrière les murs de leur ville fortifiée. Mais ils ne pouvaient pas chasser les Vikings qui se déplaçaient selon leur gré dans la campagne des alentours, sans cependant trouver de butin. Finalement, on parvint à un compromis. Charles, roi des Francs, céda aux Vikings les terres qui devaient plus tard constituer la Normandie, contre le serment de féauté au roi franc de la part de Hrolf. Le chef viking reconnaissait ainsi en Charles son suzerain et s'engageait à lui payer tribut et à le soutenir militairement. Cela signifiait aussi que ces hommes du Nord allaient être maîtres de ces terres, d'où le nom de Normandie. Les Vikings contrôlaient déjà ces domaines, mais maintenant qu'ils en étaient les maîtres, ils pouvaient en profiter et les faire fructifier en paix. Hrolf se fit baptiser et prit le nom de Rollon; il fut le premier duc de Normandie.

Ces hommes du Nord enrichissaient le pays d'une énergie nouvelle, d'un esprit d'aventure et d'entreprise ainsi que d'un talent pour le commerce. Ils adoptèrent très vite les coutumes, les lois et les structures administratives, politiques et militaires des Francs. En quelques générations, la Normandie devint le duché le plus riche de toute l'Europe.

La Normandie était relativement petite et les Normands avaient des familles nombreuses. Leurs hommes étaient forts et redoutables. Selon les traditions normandes, la terre revenait par héritage à l'aîné des fils. Au bout d'un certain temps, les fils cadets, à l'étroit sur les terres de leurs aînés, commencèrent une marche vers l'Est et le Sud, provoquant des guerres, à la recherche d'une terre à acquérir, d'un château à conquérir, de trésors à piller et également, dans l'espoir de s'établir. Au début du XIᵉ siècle, de nombreuses petites guerres éclatèrent en Italie, en Sicile et dans d'autres régions de la

À gauche : Les armures et les armes étaient fabriquées avec soin par les forgerons normands.

Méditerranée. Les rois de ces territoircs, d'origine germanique, menaient leurs propres guerres contre Byzance dont ils voulaient se libérer et complotaient les uns contre les autres. D'autres rois comme ceux d'Espagne et de Sicile faisaient la guerre aux Maures. Dans cette situation, les chevaliers normands allaient jouer un rôle important.

Individuellement ou par petits groupes, les Normands louaient leurs services à de petits princes. Certains d'entre eux prospérèrent, s'approprièrent des terres et des châteaux. D'autres Normands quittèrent la Normandie, descendirent vers le Sud et se mirent au service des nouveaux seigneurs normands. Très vite, ils eurent autant de puissance que les princes qu'ils avaient servis, gérant de grands domaines et ayant pouvoir de décision sur les événements.

Dans les années 1030, les Normands étaient maîtres, sur les frontières, d'un grand nombre de châteaux, et utilisaient à leur profit les ambitions rivales de Byzance et de Rome. En 1038, l'empereur octroya, à un Normand du nom de Rainulf, un comté. Rainulf rassembla une forte armée et dirigea tous les Normands d'Italie contre les garnisons byzantines et les troupes des vassaux de Byzance. Il les défit. Le pouvoir des Normands fut officiellement reconnu. Une nouvelle génération de Normands, parmi lesquels l'illustre famille d'Hauteville, avec à sa tête Robert Guiscard, mena une série de guerres entre 1057 et 1091, chassant définitivement le pouvoir de Byzance de la Méditerranée occidentale. Ils fondèrent un nouvel État, riche, puissant, dans le sud de l'Italie, en Sicile et dans d'autres îles forteresses de la Méditerranée.

Les Normands faisaient une guerre sans pitié. Ils étaient rudes, durs et si avides de terre qu'ils détruisirent littéralement tous les vestiges des anciennes cultures dans les terres qu'ils avaient conquises. Ils remportèrent leurs victoires grâce au choc de leurs cavaliers lourdement cuirassés et armés de longues lances, qui ouvraient la voic à une horde dc guerricrs maniant l'épée, la masse et la hache avec adresse. L'habileté et le courage individuel étaient décisifs lors de ces combats. Les Normands avaient également appris l'art du siège. Les guerres — en opposition aux combats individuels — étaient souvent gagnées par la capture ou la défense d'un château fort qui dominait le pays ou contrôlait la côte. Seulement, il était très difficile de nourrir une armée en campagne sur une même place pendant longtemps et il était impossible de protéger les troupcs contre les diverses maladies. La faim et la soif également décidèrent de l'issue de plus d'une bataille et de bien des guerres.

En bas : Tapisserie scandinave du XIIe siècle représentant un chevalier normand en armure.

La conquête de l'Angleterre

En haut : Guillaume, duc de Normandie, part à la conquête de l'Angleterre avec une cavalerie de deux mille hommes et une infanterie de cinq mille hommes. Détail de la tapisserie de Bayeux.

En bas : Hastings, 14 octobre 1066. L'armée normande est prête à l'attaque. Les Normands sont au centre, les Bretons à gauche et les Français à droite.

Les Anglo-Saxons avaient petit à petit reconquis l'Angleterre, s'avançant vers l'ouest par lentes vagues. Certaines régions d'où les Saxons avaient été chassés étaient occupées par les Danois, à la suite de guerres qui avaient duré des siècles. L'invasion normande allait être étonnamment rapide. Après une seule bataille, on pourrait dire en un seul jour, les Normands prirent le pouvoir sur l'Angleterre en majorité saxonne et danoise.

En 1066, à la mort d'Edouard le Confesseur, se posa le problème de la succession au trône de l'Angleterre. Trois prétendants se présentèrent, tous trois de grands guerriers. Harold Godwinson, le seigneur saxon le plus puissant de toute l'Angleterre, s'était fait élire roi par ses compagnons. De l'autre côté de la Manche, Guillaume, duc de Normandie, un chef implacable, prétendit que cette élection rompait la promesse qui lui avait été faite par Edouard et Harold qu'il serait, lui, Guillaume, héritier du trône d'Angleterre. Au-delà de la mer du Nord, le « dernier des Vikings », Harald Hardraada, le roi de Norvège, manœuvrait pour se faire attribuer le trône vacant, avec l'aide du frère exilé de Godwinson, Tostig.

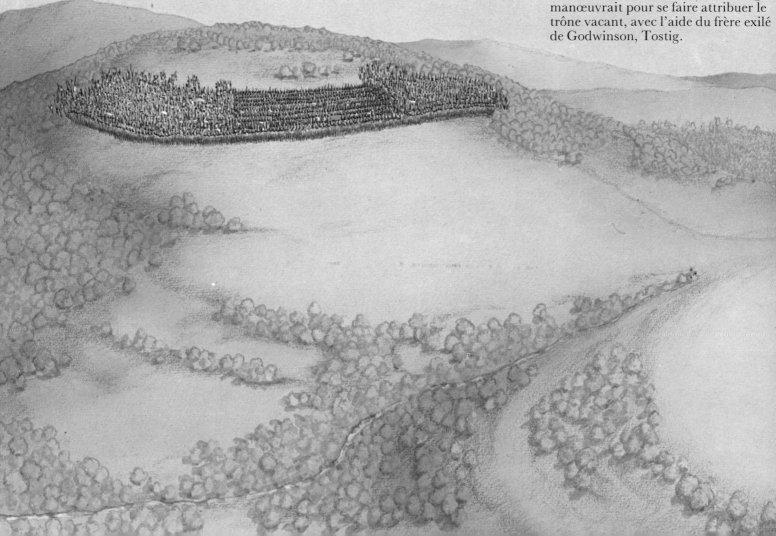

L'armée de Norvège arriva la première sur les côtes anglaises, débarqua à Humber, en septembre 1066 et vainquit les forces locales qui lui résistaient. Harold Godwinson marcha vers le Nord à la tête d'une armée saxonne et défit les Vikings à Stamford Bridge, près de York, le 25 septembre. Hardraada, un géant de plus de deux mètres, héros des guerres vikings de Russie et de Byzance jusqu'au golfe de Finlande, mourut pendant la bataille, ainsi que Tostig. Pendant que ses hommes étaient à York, Harold apprit que Guillaume avait débarqué à Pevensey, le 28 septembre, à la tête d'une armée de Normands et de mercenaires. Il rassembla ses hommes fatigués, affaiblis et marcha vers le sud.

Les historiens n'ont pu déterminer avec exactitude le nombre d'hommes dans chacune des armées saxonne et normande. Certains les estiment à vingt mille, d'autres, chiffre plus probable, à sept mille. Lorsque les deux armées se rencontrèrent sur la colline de Senlac, près de Hastings, le 14 octobre, on pouvait dire qu'elles étaient à peu près à égalité numérique. Le tiers environ de l'armée de Harold

était composé de la garde royale, les Housecarls, qui se battaient armés d'épées, de lances et de haches, bien protégés par une cotte de mailles et un casque. Le reste de l'armée était composé des *fyrd* ou milices locales qui étaient plus ou moins bien équipées, et peu entraînées. Harold réunit ses hommes en haut d'une crête, serrés les uns contre les autres, formant avec leurs boucliers un véritable mur de protection, et se prépara à une lutte défensive. Guillaume conduisit ses hommes dans la vallée, les archers au premier rang, derrière eux des hommes en armure, armés de lances et, au dernier rang, ses chevaliers qui constituaient le tiers de son armée. L'armée normande devait traverser un terrain marécageux et lancer son offensive au haut de la crête pour atteindre les Saxons.

La première attaque normande eut lieu le matin, à l'aube. Elle fut facilement repoussée et le combat fit rage toute la journée. Le roi saxon et le duc normand étaient tous deux à la tête de leurs hommes, se battant bravement. L'infanterie et la cavalerie normandes attaquaient la colline par vagues successives. Leurs charges

laissaient chaque fois un grand nombre de morts et de blessés derrière le « mur » qui ne cédait pas. En fin d'après-midi, la victoire aurait pu appartenir à un camp comme à l'autre. Les Normands étaient épuisés et découragés. Les Saxons, qui étaient si serrés que les morts restaient debout dans les rangs, étaient très affaiblis. À deux reprises, des hommes n'obéissant pas aux ordres se détachèrent de la masse des *fyrd* et poursuivirent les Normands qui dévalaient la colline, battus, ou prétendant l'être; ils furent tous écrasés dans la vallée. Mais la garde tenait comme un roc au centre.

Finalement, comme le soleil déclinait, Guillaume fit une dernière tentative. Ses archers reçurent l'ordre d'avancer et de tirer leurs flèches presque à la verticale sur les rangs des Saxons. Au moment où s'ouvrait une brèche dans le mur formé par les Saxons, les cavaliers chargèrent une dernière fois. Le « mur » tomba. Les Saxons furent dispersés en petits groupes et écrasés. Harold mourut durant le combat, au pied de ses étendards, avec la plupart des hommes de sa garde. À la nuit tombante, Guillaume devenait roi d'Angleterre.

La première croisade

La première croisade fut lancée par le pape Urbain, en novembre 1095. Elle répondait à un appel à l'aide de l'empereur Alexis de Byzance. Ses terres d'Asie avaient été annexées par les musulmans après le désastre de Mantzikert, en 1071, et le pouvoir grandissant des Turcs seldjoukides avait mis fin aux relations relativement pacifiques que l'empereur de Byzance avait entretenues jusqu'alors avec les occupants arabes de la Palestine. Le fait qu'il fit appel aux rois francs témoignait de la situation désespérée dans laquelle il se trouvait. L'Est et l'Ouest en effet se faisaient la guerre dix années auparavant en Italie et en Grèce. Bien que tous deux chrétiens, ils se considéraient mutuellement comme des hérétiques, les Églises d'Orient et d'Occident divergeant sur la façon de concevoir la religion chrétienne. Les Byzantins se considéraient comme les héritiers de la civilisation romaine et regardaient les Francs comme des

barbares un peu civilisés. Même dans ces circonstances, l'empereur de Byzance était séduit par l'idée de voir ses territoires reconquis pour lui, par des étrangers. Le pape était très heureux de faire appel aux seigneurs et aux soldats chrétiens pour reconquérir les lieux saints de la Palestine. Les chevaliers de l'Ouest avaient tout intérêt à répondre à l'appel du pape. Leur foi était fruste mais profonde et l'Église avait assuré l'entrée au paradis à tout chrétien qui mourrait pour la cause du christianisme. Par ailleurs, les dirigeants de l'Ouest, avides de biens et de nouvelles terres, voyaient dans la conquête de l'Est une nouvelle source de richesses, ayant épuisé les possibilités de l'Occident à toujours se battre les uns contre les autres. Trente mille croisés débarquèrent en Asie Mineure pendant l'été 1097. Tous n'étaient pas des militaires. Un grand nombre d'entre eux étaient des pèlerins, d'autres suivaient les soldats.

La première croisade de 1096-1099 fut victorieuse. Cette victoire était bien plus le fait du hasard que celui de la stratégie militaire. Ses dirigeants, Raymond de Toulouse, Godefroy de Bouillon, Robert de Normandie et Bohémond d'Hauteville, jaloux l'un de l'autre, se querellaient constamment. L'empereur d'Orient avait promis de leur assurer le transport et le ravitaillement. De leur côté, ils avaient promis de le reconnaître comme suzerain de toute terre reconquise. Les termes de l'accord ne furent respectés ni par l'un ni par les autres. Les chefs des croisés passèrent en fait bien plus de temps à se quereller et à comploter qu'à se battre contre les musulmans, qui, eux aussi, étaient divisés. La victoire fut remportée par les Francs sur le terrain, grâce à leur artillerie lourde.

Les croisés réussirent de justesse à vaincre les musulmans à Dorylée, en juillet 1097 et firent tomber Antioche en juin 1098, après un long siège. Quelques semaines plus tard, bien que malades et affaiblis par la mort d'un grand nombre de leurs chevaux, ils remportèrent une victoire importante sur la rivière Oronte, hors de la ville, battant une armée musulmane plus importante en effectifs. En janvier 1099, ils reprirent leur offensive et finalement prirent Jérusalem, en juillet 1099. Ils se conduisirent avec beaucoup de cruauté, tuant sans raison et sans merci hommes, femmes et enfants dans les villes d'Antioche et de Jérusalem. Jérusalem baignait dans le sang après leur passage; ils n'y avaient laissé que des morts ou des blessés. Après les prises d'Antioche et de Jérusalem, un grand nombre de croisés, considérant avoir respecté leur serment, rentrèrent chez eux. Ceux qui restèrent instaurèrent sur les territoires conquis de petits États à l'exemple de ceux qu'il y avait dans l'Europe de l'Ouest, sous l'égide du royaume latin de Jérusalem.

À gauche : Pierre l'Ermite bénissant la première croisade, d'après une illustration de Gustave Doré.

À droite : Enluminure médiévale représentant les chevaliers de la première croisade attaquant Jérusalem en 1099.

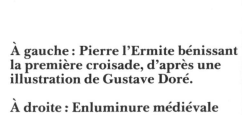

Les royaumes des croisés

Les Francs restés en Orient ne furent jamais capables de préserver les territoires conquis selon les méthodes dont ils avaient l'habitude en Europe. Les musulmans étaient bien plus nombreux et les rois, comtes ou ducs chrétiens ne pouvaient pas compter sur de loyaux sujets. La population locale était pourtant habituée aux conquêtes et jusqu'ici avait trouvé des terrains d'entente avec les différents pouvoirs occupants. Mais les Francs étaient si différents de culture, de langue et de religion qu'ils ne furent jamais acceptés. Ils ne purent se maintenir que par la force et tant qu'ils furent les plus forts.

Les royaumes des croisés furent contraints à une politique défensive, du fait qu'ils ne disposaient que d'un petit nombre de chevaliers et qu'ils étaient obligés de former leurs garnisons militaires en ayant recours à des soldats irréguliers musulmans et à des mercenaires européens. Ils construisirent de grands châteaux dans des régions-clefs, dominant la campagne, et depuis lesquels ils pouvaient repousser les assauts des groupes de soldats musulmans. Ils évitèrent tout combat sur le terrain où les rapides et agiles cavaliers-archers musulmans les encerclaient, tournaient rapidement autour d'eux, attendant l'opportunité de diviser leur armée en petits groupes qu'ils massacraient. Aussi s'enfermaient-ils dans leurs châteaux, ne s'aventurant au-dehors qu'en forte colonne, devancée par des éclaireurs. Ils subissaient les attaques courtes et répétées que les Arabes multipliaient, et attendaient l'occasion

À droite : Les croisés tombés dans une embuscade, dans le désert, sont massacrés par les soldats arabes.

En bas : Des châteaux fortifiés comme celui-ci à Sidon, sur la côte libanaise, permirent aux croisés de maintenir leur domination sur la Terre sainte.

de les écraser par une charge de leurs chevaliers.

Les Francs purent tenir longtemps dans leurs châteaux parce qu'ils contrôlaient les plaines côtières et qu'ils pouvaient ainsi communiquer facilement par mer avec l'Europe. Ils apprirent à jouer sur les rivalités du camp adverse et surent acquérir, avec l'expérience, l'habileté orientale dans la négociation et le compromis. Mais ils étaient toujours sous la menace d'une unité possible des forces musulmanes sous la direction d'un grand chef. En 1174, un tel chef apparut; c'était Saladin, un militaire d'origine kurde qui, cette année-là, devint sultan d'Égypte et de Syrie. Saladin combattit politiquement ou par les armes tous ses rivaux musulmans. En 1187, il régnait sur l'ensemble des populations qui entouraient de tous les côtés les petits royaumes chrétiens. Il marcha sur la Palestine à la tête d'une armée de vingt mille hommes et, en juillet 1187, à Hattin, il remporta sur les croisés une grande victoire. Il entraîna Guy de Lusignan, roi de Jérusalem, dans une plaine désertique, privée d'eau, encercla de ses troupes la colonne de croisés, harassa les troupes chrétiennes des assauts de ses archers à cheval, dispersa la colonne de soldats chrétiens qui, divisés en petits groupes, furent rapidement anéantis. En octobre 1187, il entra dans Jérusalem.

Pendant tout un siècle encore, les Occidentaux essayèrent de restaurer les royaumes des croisés. Huit expéditions partirent d'Occident. Aucune ne parvint à obtenir de succès durable. Les croisés purent assurer le maintien de quelques places fortes sur la côte et parvinrent à faire quelques incursions de courte durée à l'intérieur du pays. La quatrième croisade ne parvint jamais en Palestine et finit par scandaleusement piller Constantinople. Saint Louis mena deux croisades qui échouèrent toutes deux. Les croisades causèrent beaucoup plus de mal qu'elles ne procurèrent d'avantages à l'Occident. La cupidité, l'arrogance et la cruauté des croisés détruisirent toutes les chances d'entente pacifique entre le monde musulman et le monde chrétien de l'époque. De plus, l'invasion franque causa tant de torts au pouvoir de Byzance et à son prestige, qu'elle hâta la chute de ce dernier bastion du christianisme en Orient.

Fin de l'ère des invasions

L'Europe connut à la fin du Moyen Âge la période la plus stable et la mieux organisée qu'elle ait connue depuis la chute de Rome. Cela semble contredit par les guerres constantes entre les différents pays et entre les nobles d'un même pays. La vie d'un homme ne valait pas cher, la cruauté était monnaie courante, et le peuple menait une vie misérable, constamment menacé par les guerres, la famine et les maladies. Certains courants indiquaient cependant qu'un progrès se dessinait après les mille années d'anarchie qui venaient de s'écouler.

Après la chute de Rome, aucun cadre législatif ou idéologique ne guidait la vie des peuples, d'un bout à l'autre de l'Europe. L'organisation locale prédominait et rien ne durait bien longtemps, ni les familles royales ou princières, ni les systèmes de lois ou de gouvernement et, bien souvent, les populations étaient remplacées par d'autres sur un même territoire. Le système féodal et les liens nouveaux établis entre les différents pays par l'influence grandissante de l'Église catholique romaine portaient en eux le changement. Durant les sept cents premières années de l'Europe chrétienne, il était rare qu'un fils succédât à son père sur le trône. Le problème de succession n'était prévu par aucune législation. Le temps de vie d'une dynastie dépendait du roi sur le trône, de sa force, de son pouvoir et de son habileté. Du temps des croisades, toute l'Europe était régie par le système féodal, reposant sur les serments de féauté des vassaux à leurs suzerains. Des rébellions et des guerres civiles éclataient toujours; cependant, les hommes qui luttaient pour le pouvoir commençaient à accepter le fait que leur seule force n'était plus suffisante, et l'intérêt à respecter un système, même lâche, de lois ou de règles sociales. Dans cette situation nouvelle, l'Église était consciente de la lourde tâche qu'elle avait à remplir.

L'Église, au sein de laquelle se trouvaient les seuls hommes cultivés, eut la lourde responsabilité d'établir les codes de lois qu'elle fit accepter par toute l'Europe. Elle eut à influencer des générations entières pour faire accepter l'idée que la force n'était pas la chose la plus importante dans la vie. Elle inculqua l'idée du Bien et du Mal que les lois qui s'appliquaient à tout le

L'Europe féodale commença à se développer à la fin du Moyen Âge, dans une période de stabilité relative, marquée par une foi religieuse profonde.

En haut : Paysans labourant leurs champs. L'agriculture put se développer dans une stabilité politique accrue.

En haut, à gauche : Des élèves assis en cercle autour de leurs maîtres, dans une école de l'Église.

À gauche : Cette mosaïque de la basilique Saint-Marc de Venise date du XIIe siècle. Elle figure la construction de la Tour de Babel mais, surtout, c'est une excellente illustration des méthodes de construction médiévales.

En bas : L'abbaye de Vézelay, datant du XIIe siècle. Pierre sculptée au-dessus du portail occidental.

monde devaient refléter. Lorsque Guillaume le Conquérant envahit l'Angleterre en 1066, il avait fait grand cas du fait que le pape ait béni son expédition. Les hommes ne respectaient pas encore les lois. Mais, au moins, ils en admettaient l'existence. C'était là un grand pas en avant.

La renaissance de l'éducation, le respect de certaines lois de base permettaient d'espérer que la législation qui régissait les peuples de cette époque allait être transmise d'une génération à l'autre, qu'elle allait prendre plus de force avec le temps et pénétrer dans les mentalités. Une ère de stabilité et de continuité commençait. Elle permit aux nations de l'Europe de vivre des périodes d'ordre et de paix, pendant lesquelles elles purent bâtir sur les acquis du passé. La fin des invasions et des migrations permit à la ville et à la campagne, au commerce et aux écoles de l'Église de se développer. Les richesses augmentèrent et la culture se développa.

Le système féodal introduisit également de nouvelles coutumes guerrières. Pour la première fois dans l'histoire de l'Europe, des principes éthiques intervenaient dans la façon de faire la guerre. On commençait à admettre que certains comportements n'étaient pas permis. L'intervention de l'Église, dans ce domaine aussi, fut importante et bénéfique.

L'armée de l'époque était composée de chevaliers en armure que les nobles devaient assurer à leur suzerain, suivant le serment de loyauté qu'ils avaient prêté, d'une masse de soldats levés dans la paysannerie et de bandes de mercenaires dont les services étaient loués. Pour rassembler une armée et organiser une campagne, le roi devait réunir de grosses sommes d'argent pour payer les mercenaires, et convaincre ses nobles, chargés de lui fournir les chevaliers avec leur équipement, du bien-fondé de cette guerre qu'il voulait entreprendre. On ne faisait plus la guerre pour le pillage. Le nombre des guerres fut réduit.

Aux premiers temps des invasions, les guerriers ou les soldats qui remportaient la victoire ne laissaient aucun survivant chez l'ennemi, éliminant ainsi toute possibilité de vengeance. La guerre féodale fut régie par des lois et la victoire d'un camp n'entraînait plus le massacre de l'autre. Avant de commencer une guerre, les chefs militaires devaient peser le pour et le contre de la campagne qu'ils projetaient d'entreprendre.

Selon nos critères d'aujourd'hui, ce monde du Moyen Âge nous paraît sombre et effrayant. Mais depuis ce jour fatal de l'an 406, où le Rhin gelé fut traversé par les hordes barbares, les conditions de vie de l'Europe avaient beaucoup changé et l'on voyait poindre à l'horizon une ère nouvelle.

Repères biographiques

Alaric
(vers 370-410) ←

Ce grand conquérant naquit sur le territoire de la Bulgarie moderne. D'origine wisigoth, il fut un chef militaire audacieux et devint général sous l'empereur Théodose. A la mort de Théodose, ses deux fils Arcadius et Honorius lui succédèrent. Arcadius, empereur d'Orient, donna à Alaric de plus en plus de pouvoir pour déjouer les menées de Stilicon dont l'autorité grandissait depuis qu'il avait la tutelle d'Honorius, l'empereur d'Occident. Alaric chercha à utiliser les désaccords entre les empires d'Orient et d'Occident. Il envahit le nord de l'Italie et entreprit de tortueuses négociations avec Stilicon. Ces négociations ne devaient pas aboutir, Stilicon ayant été assassiné sur ordre d'Honorius. Alaric finit par attaquer Rome, l'envahit et la mit à sac, en 410. Il reprit sa marche vers le sud, dans l'intention de conquérir la Sicile puis l'Afrique du Nord, mais il mourut en route.

Clovis
(vers 466-511) ←

En 481, Clovis succéda à son père Childeric Ier comme roi des Francs saliens. Il régna trente-trois ans et, pendant ce règne, agrandit les terres de son royaume vers le nord et l'ouest. À sa mort, les Francs contrôlaient presque toute la France, les Pays-Bas et certaines régions de l'Allemagne moderne. C'était un vaillant et audacieux guerrier. Lorsqu'il vainquit le royaume wisigoth de Toulouse, en 507, il tua lui-même, en un combat singulier, le roi wisigoth Alaric II, pendant la bataille de Vouillé. Il s'allia au pape et se fit baptiser au début du VIe siècle. En 508, il fut reconnu consul honoraire par l'empire d'Orient.

Constantin Ier
(282-337) →

Constantin Ier ou Constantin le Grand était le fils illégitime de Constantin Chlorus qui régna sur la Gaule et la Bretagne de 293 à 305. Constantin avait passé une grande partie de sa jeunesse en tant qu'otage privilégié dans la cour de l'empire d'Orient. Il accompagna Constantin dans une campagne en Grande-Bretagne et devint empereur de l'empire d'Occident. Il prétendit avoir eu la vision d'une croix en flammes avec cette inscription : « Sous cet emblème, conquiers ». En 313, il ordonna la tolérance envers les chrétiens et le christianisme devint la religion officielle de l'État romain. A partir de 324, il régna sur tout l'Empire romain et bâtit une nouvelle capitale chrétienne à l'Est, Constantinople.

Saint Augustin
(**mort en 604**) →

En 595, le pape Grégoire 1ᵉʳ fit venir saint Augustin du monastère de Saint-André à Rome, et le chargea de la mission de convertir au christianisme les Saxons païens du sud de l'Angleterre. Augustin débarqua à Thanet en 597. Il obtint du roi du Kent Aethelbert l'autorisation de s'installer à Canterbury et d'y prêcher la foi catholique. Le roi lui-même fut baptisé un peu plus tard. Augustin devint évêque en 597 et archevêque en 601. Il prit contact avec les derniers fidèles de l'Église celte et tenta, sans succès, de les concilier, malgré les différences dans leur foi et dans leur calendrier, avec l'Église catholique. Il eut néanmoins la charge de toute l'Église d'Angleterre, l'Église celte comprise. Il avait atteint son but en établissant une base solide pour le christianisme dans le sud-est de l'Angleterre.

Flavius Stilicon
(**vers 359-408**) →

Stilicon était à la fois un grand soldat et un politicien habile. En 383, alors qu'il était grand écuyer de l'empereur Théodose, il conduisit avec succès une mission auprès de la cour de Perse. Il eut comme récompense une promotion

et la nièce de l'empereur en mariage. En 395, Honorius hérita de l'empire d'Occident avec Stilicon comme tuteur. Très vite, Stilicon prit en main les rênes de l'empire. Il en défendit les frontières sur le Rhin et en Bretagne et parvint à juguler une révolte en Afrique du Nord. Il sauva l'Italie des invasions germaniques mais, en 407, l'invasion de la Gaule par les barbares d'outre-Rhin affaiblit sa position. Malgré le mariage de sa fille avec Honorius, celui-ci se méfiait de lui et le soupçonnait de comploter pour accéder au trône de l'empire d'Occident. Honorius le fit assassiner en 408.

Théodoric le Grand
(**vers 454-526**) ↑

Théodoric était le fils d'un petit roi ostrogoth. À l'âge de sept ans, il fut pris comme otage à la cour de Constantinople. Il y vécut dix ans. À son retour dans le royaume de son père, il enleva Belgrade aux Sarmates et dirigea une campagne en Mysie et en Macédoine. L'empereur romain encouragea Théodoric à reconquérir l'Italie du roi des Hérules, Odoacre. Théodoric battit Odoacre à plusieurs reprises (489-490) et fit tomber finalement Ravenne où Odoacre avait été contraint de se retrancher, après un siège de trois ans. Il viola les termes de l'accord de reddition, en tuant de ses propres mains Odoacre en 493. Il gouverna l'Italie pendant trente-trois ans, avec sagesse et équité. Il sut concilier la vieille administration romaine à la noblesse gothique pour former un gouvernement incorruptible. Il fit progresser l'agriculture, imposa la tolérance et s'intéressa à l'éducation et à la culture.

Repères chronologiques

	300	400	500	600

EUROPE

La peste dévaste
l'Europe

Incursions des
Francs en Gaule
236-259

**Augustulus, dernier
empereur romain,
est déposé
476**

Le christianisme est toléré
313

Mission de saint Augustin en Angleterre
597

**Les dernières troupes romaines
quittent la Bretagne**

GUERRES CIVILES DANS
L'EMPIRE ROMAIN
305-312

Le dernier roi païen se converti
au christianisme en Angleterre
680

Les Barbares
atteignent Ravenne
257

L'encens est introduit
dans l'Eglise chrétienne
500

Rome célèbre
son millième
anniversaire
248

Les tribus germaniques
traversent le Rhin
406-407

L'Italie est dévastée par la guerre
et la maladie
547

MOYEN-ORIENT

Naissance de Mahomet
570

Le christianisme pénètre
en Arménie

**Guerre entre la Perse
et l'Empire byzantin
539-562**

EXT - ORIENT

L'influence
bouddhiste se
développe en Chine

Nankin devient capitale de
la Chine du Nord
420

Premiers livres imprimés
en Chine

Premier compas utilisé
probablement en Chine
271

Plus vieille pagode
de Chine

	300	400	500	600

800	900	1000	1100

LES INVASIONS MAGYARS

LES INVASIONS ARABES

LES INVASIONS VIKINGS

**Conquête normande
du sud de l'Italie
et de la Sicile
1061-1091**

CROISSANCE DU FEODALISME

La fabrication de
la soie commence en
Sicile
1150

**Conquête normande
de l'Angleterre
1066**

Conquête de l'Espagne
par les musulmans
711-715

Utilisation du
moulin à eau
(850 environ)

Les tambours et les
trompettes sont introduits en
Europe

**Les musulmans
sont battus
en Espagne
1139**

**Charlemagne couronné
Saint Empereur romain
800**

Les étriers sont introduits
en Europe

Remise en cours des pièces
de monnaie en or

**Les Vikings mettent
à sac Lindisfarne
793**

Le fer à cheval entre
en usage courant

Premiers moulins
à vent
1190

a canne à sucre est
plantée en Egypte

Premier manuscrit hébreu
de l'Ancien Testament
895

**Les musulmans envahissent
l'Anatolie
1071**

**Seconde croisade
1147-1149**

CALIFAT DES ABBASSIDES 750-1100

**Troisième croisade
1189-1192**

Conquête arabe
de l'Afrique du Nord
697-710

Manufacture du papier
en Egypte
900

**Première croisade
1096-1099**

Saladin prend Jérusalem 1187

A DYNASTIE DES TANG 618-907

Papier monnaie en Chine

LA DYNASTIE DES SONG 960-1279

xplosion démographique
en Chine

LES CINQ DYNASTIES 907-969

800	900	1000	1100

Glossaire

Alliance : accord politique entre deux ou plusieurs pays ou tribus.

Auxiliaire : soldat recruté dans l'armée romaine d'une tribu non romaine.

Barbare : terme romain désignant un membre de tribu étrangère.

Cohorte : corps d'infanterie de l'armée romaine comptant cinq cents soldats.

Confédération ou fédération : association politique de plusieurs tribus ou États.

Croisade : expédition militaire partie d'Occident pour délivrer les Lieux saints de la domination musulmane. Il y eut huit croisades au Moyen Âge.

Duché : étendue de territoire gouverné par un duc ou une duchesse.

Garnison : troupe casernée dans une ville ou dans une place forte dans le but de les protéger.

Hérétique : quelqu'un qui professe ou soutient des opinions contraires aux enseignements de l'Eglise.

Légionnaire : soldat appartenant à l'infanterie romaine. Les légionnaires étaient recrutés parmi les citoyens romains.

Masse : arme composée d'un manche et d'une lourde tête garnie de pointes qui était utilisée au Moyen Âge.

Mercenaire : soldat étranger dont les services sont loués par un roi ou un État dans une guerre.

Païen : membre d'une tribu qui ne croyait pas dans le Dieu chrétien.

Palissade : clôture fermée en assemblant de petits pieux en bois.

Piller : s'emparer par la force des armes des biens qui se trouvent dans une ville ou une maison.

Sac : la mise à sac d'une ville est la destruction de cette ville, le massacre de ses habitants et son pillage.

Steppe : vaste plaine sans arbres, recouverte d'arbrisseaux et de petite végétation.

Traité : convention ou accord conclu entre des rois, des tribus ou des États.

Tuteur : personne chargée de protéger un mineur et de veiller sur ses biens.

Vétéran : soldat de métier ayant accompli son temps de service dans l'armée romaine.

Index

88 279

940
GRA